Dear Brian & Norma: JULY 1999

With a mixture of love and
friendship we are sending you both your copy
of a long awaited book we have just taken of
the press, in memory of Noemi's father's 30 year date
of his passing away and 50 year anniversary of
his signature - in representation of the State of Israel
- of the act of Argentine recognition of the state
of the act of Argentine recognition of the State
This remarkable man, poet, philosopher and lawyer represented
the best of Judaism and of the Argentine's traditions and character
throughout his life. his right to belong and love those two facets
of his personality. We loved him dearly and are proud to
bring back the epic memories and highlights of his life.
Hope you will enjoy the book, which will be presented to the →

Discurso de Jorge Luis Borges en el homenaje póstumo a Carlos M. Grünberg en la Sociedad Hebr
Argentina el 19 de Septiembre de 1968.
Homenaje a Carlos M. Grünberg de la BNAI BRITH coincidiendo don el XXIV aniversario de
independencia de Israel 1972.
La grabación de los discursos de Jorge Luis Borges fueron entonces
cedidos a la familia de Carlos M. Grünberg

Diseño de cubierta:
Daniel Eisen Grünberg
Esta edición de
Un diferente y su diferencia
al cuidado de Ricardo di Fonzo
con la colaboración de José Luis Casares y José Luis de Hijes,
compuesta en tipos Garamond de 12 puntos en el ordenador de la editorial
ha sido producida por ESC Comunicación y se terminó de imprimir en los talleres de
Runiprint, Madrid
el 25 de junio de 1999.
Impreso en España -- Printed in Spain

ELIAHU TOKER

Un diferente y su diferencia

Vida y obra de Carlos M. Grünberg

del Taller de Mario Muchnik

Un diferente y su diferencia

Introducción

Un diferente y su diferencia

Fue en la antigua casona de la calle México, en la vieja sede porteña de la Sociedad Argentina de Escritores, durante la noche del 23 de noviembre de 1965, al finalizar la presentación de *Junto a un Río de Babel,* su último poemario. Varios escritores –Juan José Ceselli, Marta Lynch, Bernardo Ezequiel Koremblit, Ulyses Petit de Murat, César Tiempo, Bernardo Verbitsky– se habían ocupado ya del libro y una actriz –Rosa Rosen– había dicho algunos de los poemas. Fue entonces cuando el autor, Carlos M. Grünberg, leyó esas dos carillas de apretadas líneas escritas a máquina, que aún se conservan, y que se iniciaban así:

He reflexionado largamente, desde la niñez hasta la vejez, sobre mi condición y mi situación de judío, de miembro de una familia espiritual minoritaria, inmerso en un mundo poco inteligente y poco tierno, proclive a confundir lo diverso con lo adverso, lo opuesto con lo contrapuesto, lo extraño con lo extravagante, lo otro con lo hostil y con lo aborrecible. Cada humano es una galaxia de diferencias específicas [...]. A mí me ha tocado en suerte ser varón por el sexo, blanco por el color de la piel, judío por la estirpe, argentino, porteño, racionalista, librepensador, hispanohablante, versificador, etcétera. Mi diferencia es única, impar, irrepetible [...].

Mi diferencia es un hecho, y de este hecho emana un derecho: mi derecho a ser diferente. Y también emana un deber: mi deber de ser diferente. Y de mi derecho a ser diferente emana una obligación: la obligación, que tienen todos los demás, de respetar y alentar y amar mi diferencia. Yo amo mi diferencia con el amor con que la amaría si fuese otra diferencia y con el amor con que amo las diferencias ajenas. He aquí mi modo de amar a mi prójimo como a mí mismo. Yo he nacido para abogar en verso por la diferencia y para hacerlo con el ejemplo de mi diferencia y en especial de estos dos atributos integrantes de mi diferencia: mi judeidad y mi argentinidad.

Tras recorrer una y otra vez todo lo que C.M.G. dejó escrito; tras observar lo que dijeron y dicen acerca de él quienes lo conocieron de veras, resulta claro que en estas líneas se condensa el credo ético y poético del hombre, el pensamiento que atraviesa lo mejor de su obra. Sin renegar nunca de ninguna, C.M.G. expresó de múltiples maneras su compromiso crítico con su judeidad y su argentinidad, los dos hemisferios de su mundo espiritual. Ya de adolescente expresó su indignación ante una expresión de ultranacionalismo argentino y varias décadas mas tarde, siendo representante del recién nacido Estado de Israel, se pronunció apasionadamente contra un posible ultranacionalismo judío. Pensador y poeta, nadie definió tan claramente como él mismo los objetivos y los límites de su propia obra. Decía en otra parte de aquel mismo texto:

> De mis escasos lectores, casi todos juzgan que mi verso es demasiado razonante, que en su léxico y en su sintaxis se conserva demasiado cerca del habla, con suicida preterición de la regla de oro del famoso alejandrino de Mallarmé: "donner un sens plus pur aux mots de la tribu", y que por aquello y por esto escala difícilmente el abrupto monte de la poesía y se eleva raramente al cielo del lirismo. Tienen razón. Todas las diferencias son igualmente válidas pero no todas son igualmente valiosas. Soy un poeta diminuto; mi musa sería música si música fuese el diminutivo de musa. Pero no me importa. Ninguna diferencia se justifica siendo así o asá; toda diferencia se justifica siendo. Yo he nacido para abogar por la diferencia y por mi diferencia y para hacerlo en verso opinante, conversacional y deslirizado. Mi diferencia es ésa y estoy conforme y estoy contento con ella.

Desde aquella noche de 1965 ya pasaron treinta largos años, marcados en la Argentina y en el mundo por infinidad de sucesos, no todos precisamente felices. Y en estos treinta años Carlos M. Grünberg, que nunca fue un autor popular, quedó cubierto por el olvido. El objeto de estas páginas es rescatar de ese sitio, aunque sea en parte, al hombre y al personaje, recuperar momentos significativos de su pensamiento y de su creación literaria.

Literatura judeo-argentina

La valoración del diferente y de la diferencia, ejercicio que va bastante más allá de la tolerancia o del mero respeto por quien no es igual a la mayoría, para concebirlo además como alguien que puede brindarnos una mirada original sobre la sociedad de la que formamos parte, es un proceso que va cobrando mayor entidad en la Argentina a medida que la democracia se profundiza en la conciencia de la gente. Después de los años del desprecio sufridos por nuestra sociedad, fue imponiéndose, con altibajos, un cambio de actitud ante el diferente, pasando lentamente de la desconfianza al interés por conocer las particularidades de su experiencia. Es el caso de los protagonistas de la experiencia judía en la Argentina, a cuyo testimonio recién comienza a dársele la importancia que tiene.

El mejor atajo para ingresar al territorio de la experiencia de un grupo humano es recorrer la palabra de sus protagonistas. Así, a partir del restablecimiento de la democracia argentina se multiplicaron las investigaciones acerca de esa zona particular de su producción literaria que podría denominarse judeo-argentina, zona que pese a lo impreciso de sus límites incluye obras de una cantidad de autores que han hecho de sus vivencias judeo-argentinas el núcleo de su tarea creativa. Es el caso de Alberto Gerchunoff, César Tiempo o Carlos M. Grünberg, y más recientemente Germán Rozenmacher, Mario Szichman o Gerardo Mario Goloboff, por sólo mencionar algunos nombres destacados de entre aquellos que brindaron en castellano testimonio literario de esa experiencia. A fuer de prolijos habría que incluir también nombres de los escritores que durante la primera mitad de este siglo dieron cuenta en lengua ídish de sus vivencias en estas latitudes, capítulo aparte casi no transitado todavía. Pero lo que nos propusimos aquí es detenernos en Carlos M. Grünberg y su universo.

Un par de poetas judíos porteños

Si bien la llegada de los primeros judíos a la Argentina se remonta a mediados del siglo XIX –e incluso a épocas anteriores– la inmigración judía masiva al país dio comienzo en 1889 con algunos grupos que arribaron de un modo apenas organizado. Pero ya un año más tarde dio inicio una inédita experiencia colonizadora agrícola judía en el interior argentino, que por su originalidad dio pie a un conjunto de obras en castellano y en ídish, siendo la primera y más notable *Los gauchos judíos* de Alberto Gerchunoff (1884-1950), testimonio clásico del encuentro judío con el campo argentino, escrito en un español de infrecuente belleza[1].

En una época marcada por el torrencial desembarco en este país de sucesivas oleadas inmigratorias, el impacto recíproco entre los inmigrantes judíos y la ciudad de Buenos Aires también encontró tempranamente expresión literaria en un conjunto de autores de entre los que sobresalieron en castellano las voces de dos poetas un par de décadas más jóvenes que Gerchunoff: precisamente Carlos M. Grünberg (1903-1968) y su coetáneo César Tiempo (1906-1980).

Poetas urbanos los dos y sensibles ambos al espíritu de su tiempo, constituyeron con sus similitudes y diferencias un par de figuras arquetípicas de la primera generación literaria judeo-argentina. Ambos comparten un cuidado casi obsesivo por la expresividad y limpieza idiomáticas, y una intensa amistad con el diccionario y con sus vocablos más castizos y menos transitados. Esta preocupación por la lengua es un rasgo de la época[2] tal como lo es el integrarse a grupos literarios. Los dos lo hacen aunque en diferente dirección.

Grünberg se acerca a los círculos porteños de experimentación vanguardista, representados por el grupo Florida y la revista *Martín Fierro*, mientras Tiempo se siente atraído por los abanderados de las inquietudes sociales, de los inmigrantes y los marginales, reunidos simbólicamente en el grupo Boedo y en la revista *Claridad*. Más allá de la distancia, no siempre demasiado nítida, entre Florida y Boedo –"la torre de marfil *versus* la torre de Babel" en la expresión de David Viñas[3]– ambos poetas tienen en común la intensidad de su relación con la cosa judía.

Si algún mérito me cabe –decía César Tiempo– es haber descubierto con Carlos Grünberg a las gentes judías y su ámbito en nuestro país, y que sin dejar el ghetto tras nuestro –un ghetto metafísico, entiéndase bien–, lo llevamos con nosotros, sin desfallecimientos ni concesiones, hacia los anchos horizontes, hacia las colinas azules, hacia la vida hervorosa, que está de espaldas a los muros y a las miserias que pugnaban por aprisionarlo. [...] Con el andar de los años –no muchos– descubrí a las gentes de mi pueblo y a sus calles, que conozco tan bien como las calles que conducen a mi corazón. Quien se haya arriesgado por las páginas de mis libros sabáticos comprobará hasta dónde mi fortuna me permitió descubrir para la lírica nacional ese mundo laborioso y siempre esperanzado que alguien llamó fermento de la humanidad[4].

La mención que César Tiempo hace de Grünberg no es gratuita. Aunque el tono de ambos sea totalmente diferente, tienen en común la exaltación de la confluencia entre su judaicidad y su argentinidad, orgullosos de ambas y no dispuestos a sacrificar ninguna en beneficio de la otra.

El primer Grünberg

Carlos Moisés Grünberg nació en la ciudad de Buenos Aires el 29 de agosto de 1903, en el seno de una familia de inmigrantes poco comunes. C.M.G. le dedica una detallada descripción en una extensa carta familiar, inédita hasta ahora[5], encontrada entre los pocos papeles que el poeta no destruyó antes de su muerte. Allí brinda datos de un mundo que debe haber alimentado su imaginario, un mundo en el que se cruzan la filología, el tiempo hecho relojes, la vieja tierra de Israel y un muy temprano viaje al Cercano Oriente y a Europa.

Su padre, Mardoqueo (Manuel) Grünberg –nacido en 1875 en Jafa, ciudad portuaria de la entonces Palestina, hoy integrada a Tel Aviv– fue de niño pensionista y alumno del filólogo y escritor Eliezer Ben-Iehuda, artífice de la moderna lengua hebrea[6]. Ya adolescente, Manuel Grünberg aprendió en su ciudad natal el oficio de relojero y a los diecinueve años montó un taller de relojería en Jerusalén. Unos años más tarde, tras breves residencias en Túnez y en Marsella, en febrero de 1898 arribó a Buenos Aires, ciudad en la que se estableció y en la que contrajo enlace, en 1902, con Judit (Julia) Krauthamer. Al año siguiente vio la luz su primogénito, Carlos M. Grünberg.

Algunas experiencias muy tempranas debieron impresionar la imaginación y los sentidos del Grünberg niño. En la mencionada carta familiar, dirigida a una prima, relata:

> Fue a mediados del año 1913. Yo había nacido en 1903 y tenía nueve años y medio. Mi padre hizo un largo viaje y me llevó consigo. Siempre había soñado volver a su país natal, Palestina, para visitar a sus padres. Su padre, Wolf Alter Grünberg, nuestro abuelo, había muerto un año antes, en 1912, en Egipto, en Alejandría, en casa de su hermano Moisés, tío nuestro. El principal objeto de su viaje era, pues, visitar a su madre, Lea Levin de Grünberg, nuestra abuela. Conocí a nuestra abuela en Alejandría, en casa de nuestro tío Moisés. Jamás olvidaré la escena del reencuentro entre nuestra abuela y mi padre, ni tampoco los mimos que nuestra abuela nos prodigaba. En la misma ciudad conocí […] incluso la tumba de nuestro abuelo, al pie de la cual mi padre recogió un puñado de arena que guardó siempre para que a su muerte fuese sepultado con él. En El Cairo conocí a Jacobo Neumann, que había sido el maestro de mi padre en el arte de componer relojes.
>
> Mi padre y yo pasamos después a Palestina y visitamos Jafa, Rischon-le-Zion, Petah Tikvah y Jerusalén […] Me acuerdo perfectamente de Jerusalén, de sus calles viejas, estrechas y empinadas, de sus judíos flacos, barbudos y patilludos, del Muro de los Lamentos, del Santo Sepulcro, de la Mezquita de Omar, de la esquina donde mi padre había tenido establecido en 1894 su taller de compostura de relojes y de la casa donde nuestros abuelos habían vivido y donde nuestra abuela seguía viviendo. En esta casa volví a encontrarme con nuestra abuela. Delante de esta casa había un jardín con árboles añosos. Cada uno de estos árboles tenía, como un ser humano, un nombre propio puesto por nuestro abuelo…[7].

En ese viaje de 1913 C.M.G. recorrió con su padre, amén de Egipto y Palestina, ciudades de Austria, Italia y Suiza. Al año siguiente estallaría en algunos de esos parajes la Primera Guerra Mundial.

Muy tempranamente hizo suyo C.M.G. el mal de pensar y el de defender en voz alta su pensamiento, y no tardó en tener que pagar esa osadía. Apenas contaba quince años cuando, en mayo de 1919, es expulsado del colegio Mariano Moreno, víctima de una provocación de un compañero ultranacionalista. No está de más recordar que en enero de ese mismo año había tenido lugar en Buenos Aires la "Semana Trágica"[8]. La crónica del incidente que culminó con aquella expulsión apareció en la revista *Vida Nuestra* de junio de ese año[9], acompañando "Una composición", primer trabajo publicado de C.M.G. A esa composición, "El 25 de Mayo; su influencia continental", que uno de sus profesores había encomendado a los alumnos para celebrar la fecha patria argentina, Grünberg le agregó las palabras "y universal", componiendo bajo ese nuevo título un texto de notable claridad, fuerza y convicción acerca de la misión moral universal a cumplir por la Argentina tras la recién finalizada Primera Guerra Mundial:

Si es verdad que la civilización sigue una trayectoria occidental, como si estuviera integrada por una bola que rueda en esa dirección, es evidente que el suelo americano va a convertirse definitivamente en punto de referencia de todos los valores morales de nuestro planeta.

En efecto, las naciones del continente europeo han degenerado y caído lamentablemente. La guerra ha sido para el resto del mundo la demostración decisiva de ese hundimiento moral y material. Y la paz que se está realizando es la prueba palpable de que aquellos pueblos han perdido su dignidad.

Quien hable de las próximas reconstrucciones, juzga obtusamente, y yerra en consecuencia, porque si habrá reconstrucción, ella sólo será de los ídolos de las catedrales y de los muros de las cárceles, pero jamás de aquellos adelantos que, elaborados merced a la acción conjunta de los siglos y de los sacrificios humanos que los enrojecieron, eran orgullo legítimo de la humanidad [...].

Los pueblos americanos se encuentran ahora ante dos insinuaciones: un ejemplo y una misión. El ejemplo, es detestable; la misión, es sublime. El ejemplo debe ser rechazado, porque los pueblos americanos no son ni serán suicidas. La misión debe ser acatada con nobleza, porque dichos pueblos tienen conciencia de su vida y sabrán ennoblecerla [...].

Nuestro país está particularmente preparado para llenar su fin. Lo atestiguan los dos hechos más notables de su historia: la revolución del 25 de mayo de 1810 y la constitución del 25 de mayo de 1853. [...] He dicho que nuestro país es el más preparado para contribuir a la grandeza del planeta, pero no he dicho que lo será.

Si nuestros antepasados nos han hecho un precioso legado, es bueno recordar que no hay que dormirse sobre los laureles [...] [10].

Reprodujimos in extenso algunos fragmentos del trabajo primerizo de C.M.G. –que puede leerse íntegro en otra parte de esta obra– para observar qué tempranamente se pueden atisbar en él señales de un pensamiento propio y polémico, que trasciende lo inmediato y se centra en una visión universal, idealista y libertaria.

Tras su expulsión del "Mariano Moreno" C.M.G. ingresó en el "Bernardino Rivadavia" donde tuvo por compañero a un tal Israel Zeitlin, poeta que luego cobraría renombre bajo el seudónimo de César Tiempo, quien presentando en 1965, en la Sociedad Argentina de Escritores, *Junto a un Río de Babel*, recordaba así a su compañero de entonces:

> La primera vez que vi –y oí– a Grünberg fue hace más de cuarenta años en el patio del Colegio Nacional Bernardino Rivadavia, en la vieja casona de la calle Chile. Se celebraba una efemérides patria y en lugar de los discursos al papel carbónico, acribillado de lugares comunes y cursilería al uso en tales circunstancias, un alumno, un muchacho que estaría en tercer o cuarto año, se había encaramado al tingladillo para darnos a conocer una página poderosa poderosamente leída. Cosa inusitada, no nombraba a ninguno de los próceres con quienes hacen rodeo los profesores de reata, ni convocaba a los paraguas reunidos eutrapélicamente bajo la lluvia en la fecha inmortal, ni invocaba al león tendido y rendido a los pies de la nación. El muchacho transcurría donosamente por esa selva con rumor de dioses que se llama Antiguo Testamento e invocaba a Isaías y a otros profetas tronitronantes y hablaba de su amor a la patria con un amor entero y varonil de macabeo en armas, sin literatura y sin desplantes de compadrito, víctima de esa elefantiasis de la autosobrestimación a la que somos tan propensos.

El compromiso ético y profético de Grünberg cobra expresión activa con su ingreso en 1922 en la Logia Unión Justa, en la que consigue ser admitido pese a no haber alcanzado, con sus diecinueve años, la edad mínima que fijan las normas de la Logia [11]. Su inquietud societaria también incluye el ámbito judío: en 1923 está entre los fundadores de la

Asociación Hebraica, antecesora de la actual Sociedad Hebraica Argentina [12].

Esos primeros años veinte son para Grünberg años de experimentación literaria. A partir de aquella primera colaboración suya a los quince años, continúa publicando en la revista *Vida Nuestra* poemas y notas de crítica literaria, e incluso, en 1923, dos cuentos, los únicos que se le conocen: *Un esposo* y *Padre* [13], cuentos breves de tono sombrío, de prosa rica y económica ambientados en algún villorrio judío de Europa oriental. En 1924 colabora intensamente en la revista *Martín Fierro*, con cuya propuesta literaria de introspección y experimentación poética, como veremos, se muestra afín.

Las cámaras del rey

En 1922, año especialmente prolífico para la literatura argentina, en el que vieron la luz las primicias de Oliverio Girondo, Francisco Luis Bernárdez, Horacio Rega Molina, Leopoldo Marechal, también aparece el primer poemario de Grünberg. Titulado *Las cámaras del rey* [14], incluye algunos poemas de una provocativa sensualidad y omnipotencia adolescentes y otros en cuyo idealismo, pesimismo e ironía se reconoce el germen del C.M.G. futuro. Salvo en estos rasgos, lo judío no aparece en las páginas de este libro. Lo común a todos los textos que lo componen –y a toda la siguiente producción poética de Grünberg– es el cuidado formal, la prolija construcción, a menudo experimental, de cada poema, de su ritmo, métrica y rima.

No resulta difícil entrever quién es el rey que habita las cámaras que dan título al poemario y qué clase de palacio es el suyo: "Yo seré tu príncipe galante" dice Grünberg en "Romántica" (pp. 15-16) [15], y luego "Serás feliz un año y nueve días / en mi palacio de melancolías".

Este libro incluye un poema, "Amor niño", compuesto por C.M.G. a los 14 años: "soy precoz en mi cariño / y pesimista; y pues se vuelve niño / el hombre al fin de sus mejores años, // nosotros, cuando viejos, volveremos / a la precocidad, y a ella uniremos / el pesimismo de los desengaños" (pp. 37-38).

Una sensualidad expresada en imágenes poderosas da el tono a algunos de los textos que conforman este poemario: "Tendré la sideral fortuna / de conquistar, por mi amorosa fragua, / tu sexo, luminosa media luna / que descuella en el cielo de tu enagua. // Y, símbolos de glorias adquiridas, / te dejaré las huellas de mis besos, / en estigmas perpetuos a ti unidas, / como nudos del árbol de tus huesos!" (p. 27).

La ironía se hace presente en "La ojerosa" de "ojos enfermos de esperanza": "Cuando te conmueven los pianos / y tu mirada hipnótica se abisma, / diríase que piensas en lejanos / misterios; pero piensas en ti misma. // Oh las noches que tu índice especioso, / anticipando el ignorado amplexo, / turba como un insecto peligroso, / el capullo astringente de tu sexo" (pp. 17-19).

Pero no sólo de sensualidad están hechos estos versos. Dice en "Tristeza": "…lo que hirió mi corazón artista / […] / fue la maldad del hombre, la imprevista maldad / que el hombre por el hombre alienta"; y a los perversos: "caigan sobre ellos mis acompasadas / rimas, como terribles martillazos!" (p. 75).

Al pasar vale la pena recoger algunas metáforas e imágenes de C.M.G.: "El silencio brota como de su boca" (p. 82); "Pretendientes, / estrictos y correctos como un guante" (p. 15) o "Palideces, a un tiempo con la luna, / sobre el frágil país de tu abanico" (p. 31). "Por sobre las páginas del libro / ha cerrado sus párpados el día" (p. 55).

Poeta urbano, Grünberg canta en "Ocaso en la ciudad": "Con lentitud de miel, en el lindero / de la calle, declina el sol poniente, / como si descendiera largamente / por la garganta de un desfiladero. // Y el tranvía que viene, en la oportuna / hora, hacia mí, del fondo del paisaje, / finge raro vehículo en viaje / desde el país del sol al de la luna" (p. 53). O "los focos de tranquilas / luces, parecen filas / de lunas en el aire" (p. 86).

En el colofón que cierra esta obra anota C.M.G.: "Escribióse este libro para realizar, por parte del autor, un ideal predefinido" (p. 101). ¿Cuál es ese ideal? En la suerte de "ars poética" de las últimas páginas Grünberg se diferencia de quienes "quieren hacer poesía y hacen versos". Él se impone una "más difícil norma, / impregnar mis versos en el doble / misterio de la vida y de la forma / […] / musicalizaré mis emociones / dentro del pentagrama de la estrofa" (pp. 70-71), credo que expresa ya las inquietudes martinfierristas de experimentación poética e introspección.

La revista Martín Fierro

La presencia de C.M.G. en las columnas de la revista *Martín Fierro* fue tan breve como intensa, y se proyecta sobre toda la primera etapa de su obra, permitiendo ubicarla en el ámbito de lo que se dio en llamar "la generación martinfierrista", cuyas ideas rectoras estaban en consonancia con posturas de Grünberg. El martinfierrismo se declaraba en contra de un nacionalismo vacío que exige ser proclamado y a favor de la defensa del idioma argentino. Partidarios de una "nueva sensibilidad" –en consonancia con el "ultraísmo" de Cansinos-Asséns–, promovían una renovación vanguardista mediante la experimentación literaria. A diferencia de la gente de Boedo que se expresaba a través de *Los Pensadores* y de *Claridad* y se proponía una literatura para la revolución, la gente de Florida, cuyos órganos eran *Proa* y *Martín Fierro*, se proponía una revolución para la literatura, apelando a un humor irónico, revulsivo, "el humor martinfierrista frente al malhumor obrero" para decirlo en las palabras de Borges [16].

En los pocos meses que van de febrero a octubre de 1924 aparecen en la revista *Martín Fierro* una docena de colaboraciones de Grünberg, de muy diferente índole y firmadas de diverso modo, dando testimonio del abanico de temas que lo inquietan y de la variedad de tonos que utiliza. Con su nombre y apellido publica un largo y enjundioso ensayo titulado "Un gramático" [17], una irónica "Carta abierta" en la que polemiza con Samuel Glusberg [18], algunos pensamientos que titula "Ingruencias" –o "Incongruencias"– y algunos textos de su poemario *El libro del tiempo*, entonces de inminente aparición. Tras el seudónimo *Monsieur Homais* que José Luis Trenti Rocamora atribuye a C.M.G. [19], aparecen tres textos tocados de ese militante humor tan caro al espíritu martinfierrista. El primero sugiriéndole al intendente porteño la instalación de mingitorios públicos para damas, el segundo comentando irónicamente algunas de las presentaciones literarias al Concurso Nacional, y el tercero, una "Balada con firmeza" [20], "terrible sátira a Ricardo Levene [...] Por entonces Levene ejercía el profesorado en La Plata, donde estudiaba Grünberg" [21].
   Trenti también atribuye al joven Grünberg algunos de los famosos "epitafios" del "Cementerio de Martín Fierro" firmados con las iniciales C.G. o C.M.G. [22] De ser cierto sería suyo el más celebrado de esos textos: "Yace aquí Jorge Max Rhode / dejadlo dormir en pax / que de este modo no xode / Max". Y también el que le sigue: "Yace aquí Miguel Camino / versificador culpable, / a quien convirtió el destino / en camino intransitable" [23]. El nombre de C.M.G. es incluido por ese entonces en las listas de integrantes de la revista *Martín Fierro* y mencionado en diferentes trabajos acerca de ese movimiento [24]. Particularmente vívido es el recuerdo que de esa relación traza Álvaro Guillot Muñoz:

En el local de Martín Fierro, allá en el invierno de 1927, por primera vez oí hablar de Carlos M. Grünberg. En aquellas horas de esparcimiento o de vagabundeo literario, a través de las conversaciones cruzadas, salpicadas de paradojas, los escritores y los artistas de aquel cenáculo desaparecido, manifestaban excelente buen humor para librar una nueva batalla en la milenaria "Querella de los Antiguos y los Modernos". De pronto se habló de cultura hebraica, del teatro de Israel, de la novela semita y de los poetas judíos.

Dos nombres mantuvieron viva la atención de todo Martín Fierro: André Spire, combativo y áspero desde el ghetto de Nancy, y Carlos M. Grünberg, refinado y mordaz desde el ghetto de Buenos Aires. Hubo elogios categóricos para "Les Poèmes Juifs" y para "Las Cámaras del Rey". "En Grünberg hay un israelita y un criollo de pura cepa", exclamó alguien en esa rueda en la que campeaba una crítica aguda, sin atadijos inhibitorios. Y, como Spire y Grünberg estaban sobre el tapete, bajo la luz nimbada por el humo de los cigarrillos mas heterogéneos, hubo loas a "La Cité Présente" y a "El Libro del Tiempo" [...]. Vale la pena destacar que Grünberg estuvo vinculado a Martín Fierro desde la fundación de este grupo de intelectuales [25].

El libro del tiempo

El libro del tiempo, segundo poemario de C.M.G., apareció en 1924 apenas dos años después de *Las cámaras del rey*, pero como vimos en el interín su autor había comenzado a colaborar en la revista *Martín Fierro*, donde aparecen algunos textos que integrarían esta obra. Resulta significativo que habiendo sido "edición de autor" su primer poemario, el segundo lleve el sello de M. Gleizer, editor de las primicias de quienes serían luego las grandes figuras de las letras argentinas, de Jorge Luis Borges a Macedonio Fernández, de César Tiempo a Eduardo Mallea, de Samuel Eichelbaum a los hermanos González Tuñón.

Con su título, *El libro del tiempo,* y su epígrafe tomado del *Timeo* de Platón: "El tiempo es la imagen móvil de la eternidad", esta obra preanuncia desde su tapa misma el tono filosófico de los textos que lo integran [26]. Dice en su poema introductorio: "Cárcel de llanto, cárcel de amargura / es la del tiempo, donde el hombre vive; / pero él, rebelde, en su dolor, concibe / la negación del tiempo y la procura. // Para ello elige de entre el mundo externo / una forma fugaz y la fascina; / y de este modo, que es el arte, inclina / lo temporal, si cabe, hacia lo eterno / […] / el arte, lector, es el hechizo / con que se fija la fugacidad; / con que yo, por ejemplo, inmovilizo / el móvil tiempo y lo hago eternidad" (pp. 10-11).

El primer ciclo poético de este libro se titula "Relojes", tema que se conjuga con el del tiempo como materia de reflexión y con el relojeril oficio del padre del poeta, aunque los relojes que elige cantar –de sol, de arena, de agua– no son precisamente los que pasan por las manos de un relojero.

No sólo el tiempo protagoniza estas páginas, también lo hace el espacio, un espacio cósmico, grandioso y desierto: "Lánzase a mí la luz del infinito / y yo a la luz me lanzo en mi caballo. // ¡Cómo diré lo que me pasa dentro / del noble corazón en esta hora / en que en el universo hemos la aurora / y yo salido a nuestro mutuo encuentro!" ("Aurora en la pampa", pp. 27-28). También la ciudad se le aparece a C.M.G. como un paisaje imponente y desierto: "Echan los focos luz desde lo alto; / y se diría, desde la dócil hoja / de agua que moja el regular asfalto, / que ella también, pero en la luz, se moja / […] / Del cielo claro y a la par sombrío, / vuelcan así las aguas nebulosas / un desatado, interminable río / al través de tinieblas pavorosas; // y, hasta que enjugan su raudal sonoro, / sufro en el alma con dolor profundo, / pues se me antoja, aunque la causa ignoro, / que está lloviendo sobre todo el mundo" ("Noche de lluvia", pp. 34-36). Ciudad provocadora de imágenes, sensaciones y sentimientos la de Grünberg, pero desprovista de gente; él sería un único habitante de una ciudad abstracta, bastante distinta de la que habita, por ejemplo, un César Tiempo para quien la ciudad es la gente que la puebla.

En ese mismo tono de grandiosidad cósmica resalta una dura "Imprecación" a Dios: "Sobrehumano Señor: yo te maldigo / por el ser deleznable que me diste; / toda la Creación será testigo / de la injusticia que conmigo hiciste. // Me sepultaste en este bajo mundo / para que conociese la amargura; / para que desterrado en mi profundo / abismo viese tu estrellada altura. / […] / La eternidad es mi constante anhelo; / la eternidad es mi ansia inextinguible; / ¡y todavía me pusiste el cielo / para que en él la viese inaccesible! // Por tu arbitrariedad, Señor, le falta / al hombre todo lo que a ti te sobra; / ¡en tu mansión esplendorosa y alta / puedes sentir vergüenza de tu obra!" (pp. 51-52).

Este iracundo enfrentamiento personal con Dios constituye el ejercicio de un paradojal ateísmo que C.M.G. acentuaría en sus futuros poemarios y que forma parte de su concepción judía de mundo. Esta es una de las escasas referencias judaicas de este libro [27] que cierra un ciclo en la obra de Grünberg.

Intermedio familiar y profesional

En un poema de *El libro del tiempo* dice C.M.G.: "Yo escondo en mi silencio una palabra / maravillosa por su gran dulzura; / están en mí el decirla y el que se abra / por un abismo, al decirla, de ventura" (p. 80), palabra clave reservada para la mujer amada. "Pero quizá… ¡pero quizá no venga! / ¡Quizá tropiece yo con el capricho / de un genio adverso a mi palabra y tenga / que irme del mundo sin haberla dicho!" (p. 82).

La esperada mujer llegó, y en 1928 Grünberg contrajo enlace con ella, Adina, su compañera y amiga para toda la vida[28]. Instalan su hogar en el segundo piso de la casa en cuya planta baja funciona la relojería del padre de C.M.G. En aquel mismo poemario había dedicado Grünberg una "Oración" a su padre, cuya última estrofa decía: "¡Gracias, padre y señor; y que en florida / vejez compuesta de años venturosos, / vuelvas a ver tu casa embellecida / por hijos míos fuertes, numerosos!" (p. 61). Al año siguiente nace su primogénita, Elisabet, y unos años más tarde los mellizos Noemí y Daniel.

En la segunda mitad de los años veinte, C.M.G. concentra todas sus energías en la consolidación de su vida familiar y profesional.

En 1926 finaliza el profesorado de Filosofía y Letras, en el Instituto de Filología; en 1929 publica *Dos ensayos filosóficos*. En 1930 se gradúa como abogado y ese mismo año aparece *Cinco estudios de derecho sucesorio*, obra jurídica firmada por él conjuntamente con el doctor Juan Carlos Rébora. En su prólogo dice el doctor Rébora que la concreción de esa obra fue producto de su encuentro con Grünberg, de la feliz circunstancia de "haber obtenido la cooperación de un investigador tan joven como era necesario para convenir en una orientación, tan maduro como lo requería la eficacia, tan concienzudo como lo exigía la recíproca confianza, y tan dotado de vocación como para invertir su tiempo y energía en especulaciones que tienen en vista el progreso de las ciencias jurídicas más que una hipotética remuneración, en el mejor de los casos, magra y tardía"[29].

Simultáneamente con sus primeras tareas profesionales, C.M.G. comienza a dictar clases de Gramática española y de Historia de la Literatura española, hispanoamericana y argentina, en un par de escuelas secundarias. Esta tarea constituye por entonces su principal fuente de ingresos. También en ese ámbito se lo recuerda apasionado, el "más encendido, más dispuesto a la polémica"[30]. Respetuoso de los estudiantes y rechazando las imposiciones, su tarea docente terminaría abruptamente a mediados de los años cuarenta por negarse a enseñar *La razón de mi vida* de Eva Perón a sus alumnos.

En su portada *El libro del tiempo* daba cuenta de que su contenido correspondía a una "primera serie" de versos, y anunciaba en preparación una "segunda serie"; también otro poemario, *Introducción a la vida feliz*, y una novela, *Débora*. Nada de esto se concretó.

Sobre el fin de los años veinte, en junio de 1929, publica C.M.G. en un periódico "Romance de los besos ilegales" [31], que pertenece todavía a su período "martinfierrista"; un año más tarde otro poema, "Rabí Josué" [32] testimonia el comienzo del momento más singular de su obra, el que encontraría expresión en su *Mester de Judería*.

El pasaje de fines de los años veinte a comienzos de los treinta traza en la obra de C.M.G. —y no sólo en la suya— una línea de quiebre que separa nítidamente dos épocas, en coincidencia con la crisis mundial de 1929, el golpe uriburista de 1930 y el comienzo de un tiempo infame que vería el ascenso del nazismo en Europa y la prepotencia de sus voceros argentinos. El poeta César Tiempo, que inaugura la década con la nostálgica alegría de su *Libro para la pausa del sábado* [33] abandona en 1935 el tono cordial de su poesía para denunciar a toda voz, con furia e ironía, el antisemitismo del director de la Biblioteca Nacional [34].

Si hasta las vísperas de los años treinta la cuestión judía ocupaba una zona marginal en la tarea literaria de Grünberg, a partir de los comienzos de esta década este tema se ubica en el centro de su obra. En un ensayo publicado por entonces plantea C.M.G. las diferencias que encuentra entre los que llama "judíos antropológicos", aquellos cuya judaicidad se reduce a un origen familiar, y los que denomina "judíos psicológicos", definidos por una serie de características que Grünberg detalla, trazando puntualmente su propio retrato espiritual:

…No lo reconozco por judío si no descubro en él un individualismo ardiente y apasionado, un agudo instinto de la personalidad propia y ajena, una orgánica irrespetuosidad para con todas las jerarquías (especialmente la militar y salvo la intelectual), una inquietud perenne, un espontáneo lirismo doloroso, una tristeza bufonesca y una alegría gemebunda, un vivo sentimiento de la familia y de la igualdad de los sexos, una fe sin reservas en el progreso científico, una activa conmiseración por el menesteroso, el huérfano y la viuda, un vibrante anhelo de justicia social, un don de síntesis arrollador, un fervor lógico que no se para ante las últimas consecuencias, una sagaz inclinación por la crítica triturante, una innata aversión por las ideas hechas, un monoteísmo intransigente o un ateísmo bondadoso, una visión cosmopolita de las cuestiones nacionales, una independencia insobornable, una valerosa conformidad con su estirpe (valerosa conformidad que, al primer amago antisemita, se desmelena en bélica petulancia), en fin, muchas o algunas de las cualidades arquitectónicas del espíritu judío [35].

Es en ese espíritu que Grünberg escribe a lo largo de los años treinta los textos que van a integrar su *Mester de Judería* publicado en 1940, estando ya en pleno desarrollo la trágica y ominosa Segunda Guerra Mundial.

Mester de Judería

Dieciséis años separan de *El libro del tiempo*, su anterior poemario, este *Mester de Judería*, obra cumbre de Grünberg, comprometida apasionadamente con la defensa del diferente, del otro, y con la reivindicación de su propia otredad. A partir de su título C.M.G. se define *maestro cantor de la judería*, aludiendo a la tradición de los maestros cantores medievales españoles –con sus *mester de juglaría y de clerecía*– con lo que legitima, como observa Leonardo Senkman, "una inequívoca filiación española al mismo tiempo que rinde homenaje al linaje hispano-hebreo de sus ancestros, por más que personalmente tenga origen ashkenazí, igual que Gerchunoff" [36].

También son de origen ashkenazí César Tiempo y Enrique Espinoza, y también ellos se someten a través de su lenguaje a esa "peculiar fascinación hispano-hebrea que sentían estos intelectuales judeo-argentinos". A lo largo de las páginas de su *Mester* –particularmente en su poema "Sinagoga" (pp. 66-78)– con su "léxico arcaizante [...] busca Grünberg textuarse en un castellano de los siglos XV y XVI. Algunos de sus adjetivos y sustantivos exhuman costumbres y hábitos de la tradición hispano-hebrea más gloriosa, tanto de la España musulmana como cristiana. Por ejemplo: adafina, aljama, almacabra, almemor, almenar, alquiperacita, bulbul, cenceño, desmazalado, efod, gálbano, hacán, gehena, judezno, máncer, masoreta, mihrab, nabí, nazareo, neomenia, osario, parasceve, proseuca, puntar, retajador, sabtario, sabatizar, sobejo, timiama, treno" [37].

Particularmente significativa es la valoración de Jorge Luis Borges, desde su prólogo, de la oportunidad y argentinidad de este *Mester de Judería*:

> En las lúcidas páginas de este libro, Grünberg refuta con poderosa pasión los mitos y las falacias que ese impostor (Hitler) ha predicado al mundo […]. Estos poemas declaran el honor y dolor de ser judío en el perverso mundo increíble de 1940 […].
> Grünberg, poeta, es inconfundiblemente argentino. Lo anterior no quiere decir que trafique en nidos de cóndores o en ombúes ni que en su estrofa sea frecuente el general Rosas: melancólica imagen de la patria. Quiere decir una límpida tradición cuyos nombres más altos son Lugones y Ezequiel Martínez Estrada […]. Como todos los libros importantes, éste de Carlos M. Grünberg lo es por múltiples razones. Lo es como documento legible y lúcido de este aciago «tiempo de lobos, tiempo de espadas» cuya bárbara sombra continental –y quizá planetaria– vastamente se cierne sobre nosotros. Lo es por su precisión y por su fervor, por su álgebra y su fuego, por la armoniosa convivencia continua de la destreza métrica y de la delicada pasión. Lo es por el alma irónica y valerosa que declaran sus páginas" (pp. XI-XVI).

Libro poderoso, de una fuerza y armonía que se imponen al lector, de una furia y un dolor acordes con los trágicos años en que fue escrito, *Mester* entreteje en un segundo plano una suerte de saga vital judía, que se abre con "Circuncisión", incluye luego poemas acerca de la niñez ("Infancia"), el Bar Mitzvá ("Vocación"), el ser padre ("Desolación") y, tras pasar por el "Sabat" [38] y la "Sinagoga", se cierra con "Cementerio".

"Circuncisión", el poema de Grünberg incluido en tantas antologías, es una de sus creaciones más originales y logradas, en la que coinciden el poeta, el lingüista, el ironista. "Entre la gente había un hombre / que en español no tiene nombre. // Según *suicida* y *homicida,* / lo trataré de *circuncida…// Sufrió en su hora el sacrificio / y hoy circuncida por oficio. // El sacrificio fue instantáneo; / fue casi un rayo subitáneo. // Cortó el sobejo como un rizo / para volverte circunciso. // Cortó el sobejo filisteo / para trocarte en un hebreo. // Cortó el sobejo porque eres / Judá ben Sion y no Juan Pérez. // Ahora sangras, lloras, gritas. / Gritas con gritos israelitas. // No grites más; no llores tanto / deja tus gritos y tu llanto // […] // Aún ignoras, pobre crío, / que cuesta sangre ser judío. // […] //

Que cuesta sangre día a día, / del nacimiento a la agonía. // ¡Que cuesta sangre y que con ésta / va la primera que te cuesta!" (pp. 2-3).

La Argentina constituye una protagonista central de esta obra. Más allá del ya mencionado alarde léxico que caracteriza el poema "Sinagoga", Grünberg lo compuso, según el epígrafe que lo encabeza, "con motivo de los daños intencionales producidos, a mediados de 1933 y 1934, en los frontis de las dos principales sinagogas de Buenos Aires". "Voy a la sinagoga / cuya limpia fachada / ha sido alquitranada / por el racismo en boga. / Llegaré al edificio / y al encarar el atrio / apreciaré el perjuicio / causado al frontispicio / y más al suelo patrio" (p. 66).

En su poema "1916" [39] le canta C.M.G. a la Argentina: "Libertad es un grito sagrado, / pero hay otro más lleno de prez. / Quien exclama Argentina ha exclamado / libertad y Argentina a la vez" (p. 17) y concluye con un notable brindis: "Que prosperes pacíficamente. / Que jamás te salpique el pogrom. / Y que siempre repita mi gente: /¡Al gran pueblo argentino, salom!" (p. 21) [40].

"Argentino y judío, no reniego / de lo argentino ni de lo judiego, / de mi argentinidad / ni de mi judeidad. / Antes bien a las dos me apego; / antes bien a su dualidad, / a su dúplice realidad, /sutilmente me entrego / para que no se trunque mi personalidad" (pp. 121-122). Estos versos corresponden a "Mestizo", texto que resume desde su título mismo una de las ideas centrales de estas páginas, la del respeto plural por la diferencia propia y la ajena. Comenta Darrell B. Lockhart en el estudio que le dedica:

> La conceptualización de Grünberg del mestizo judeo-argentino, subvierte un término común de la cultura latinoamericana para presentar el componente judío de manera menos chocante. Mestizo es el término usado para identificar a latinoamericanos descendientes de una mezcla étnica hispano-indígena. Usado metafóricamente, el término connota lo que el poeta intenta expresar. Grünberg no se refiere literalmente a un mestizaje étnico; más bien se refiere a un mestizaje cultural entre los códigos de significación hispánicos (argentinos) y la identidad sociocultural judía [41].

C.M.G. reivindica su doble amor crítico por lo argentino y por lo judío ubicándose en los márgenes de ambos. "Mis propios correligionarios / abominan de mi ateísmo / y nuestros ruines adversarios / aborrecen mi judaísmo. // Mis compatriotas reaccionarios / detestan mi igualitarismo / y los más revolucionarios / menosprecian mi argentinismo" (p. 140). Y hace del antirracismo una bandera: "Los negros son nuestros iguales / aunque muchos digan que no. / Entre el negro más negro y yo / no hay diferencias esenciales. // Todo negro viril y franco / tiene amor a su raza negra / y siente y dice que se alegra / de ser negro en lugar de blanco" (p. 83). Tal como rechaza el ultranacionalismo argentino, reniega de los dogmas de la fe judía: "Y sin embargo ¡vaya si soy un buen judío! / ¡Vaya si soy un brote del árbol de Israel!" (p. 108). Y agrega: "Bendita seas, cosa judía, / luz refulgente y esplendorosa, / maravillosa filosofía, / sabiduría maravillosa. //...// Por ti me yergo. Por ti me alzo. / Por ti descubro todo lo oblicuo. / Por ti me choca todo lo falso. / Por ti me hiere todo lo inicuo, // Por ti me alejo de la impostura. / Por ti me aparto de la bajeza. / Por ti comulgo con la cordura, / con la justicia, con la belleza. // Por ti me río de las sandeces / y estupideces de mucho ismo. // Por ti me río no menos veces / de las sandeces del judaísmo" (pp. 109-110).

La ironía, uno de sus recursos predilectos, le sirve a C.M.G. para mitigar la amargura de sus reflexiones: "En vano esperas horas mejores, / días serenos, años felices. / Los hombres guardan a sus rencores / mayor apego que a sus narices" (p. 58). "Tres o cuatro cristianos y otros tantos judíos / han sido en lo pasado nobles amigos míos. / Los he querido mucho, pero mi mala suerte / los puso a todos, tiernos, en manos de la muerte. // Tres o cuatro judíos y otros tantos cristianos / han sido amigos míos también, pero villanos. / No están en el gehena; no están en el infierno. / Viven. ¡Qué digo viven! Tienen algo de eterno" (p. 129).

Dios, en quien Grünberg declara no creer, es uno de los destinatarios privilegiados de sus amargas ironías: "Dios es siniestro, torvo y sombrío. / A los virtuosos da vida y muerte trágica o triste. / A los canallas ceba o ahíta de poderío. / Dios es perverso. Dios es hereje. Dios es impío. / ¡Bah! Dios no existe" (p. 88). "Dichosos los Ibáñez y los Yáñez, / los Gómez, los Rodríguez y los Núñez! // ¡Ah cómo lucha el que se llama Ñevsky, / Poplavsky, Jaroslavsky o Nemirovsky! // Pero Jehová no otorga un privilegio / sin subsanarlo por algún efugio. // Obra con tan sutil maquiavelismo, / que cuando favorece es por sarcasmo. // Si te da catre no te da sustento. / Si te hace millonario te hace tonto. // ¡La vida de los Pérez es más fácil, / pero su eternidad es más difícil!" (p. 54). "He quedado aplazado para la otra vida. / ¡Y yo que tengo un alma, Señor, tan descreída!" (p. 53).

El antisemitismo que descubre por las calles de la Argentina en esos siniestros años cuarenta hacen de Grünberg un hombre profundamente escéptico: "Sabes que el mal es eterno; / que el mundo será un infierno / [...] / que mientras haya israelitas / hozarán antisemitas; / que el pogrom es inmortal; / y que en él, tarde o temprano, / caerán bajo algún villano / [...]

/ si no tú mismo, tus hijos; / si no tus hijos, tus nietos; / si no tus nietos, tu prole" (p. 86) El lingüista marca algunas precisiones: "¡No *somos* perseguidos! Nuestros perseguidores / nos hacen el endoso de su persecución; / la mudan –imprudentes prestidigitadores– / de sus perversas manos a nuestro corazón. // ¡*Estamos* perseguidos! ¡*Estamos* perseguidos! / Lo estamos en la calle y en la universidad. / Lo estamos por bandidos; por hatos de bandidos; / por el género humano; por la humanidad" (p. 84).

En este tema, el reflexivo C.M.G. da curso libre a su indignación y su lenguaje de hombre limpio se enturbia para expresar su repugnancia, –como al retratar al gran carnicero nazi (pp. 79-80)– o para llamar a la autodefensa frente a los antisemitas locales: "Venid. Oíd la grita. / La grita antisemita. / Venid. Sólo los necios / aguantan los desprecios. / Romped con los garrotes / la crisma de los zotes. / Quemad con los fusiles / el rostro de los viles. / Mostrad vuestra conciencia. / Mostradla con violencia. / […] / Raed del universo / la lepra del perverso. / […] / Y acaben los judíos / que esgrimen el salom. / Y advengan los bravíos / que ahorquen el pogrom" (pp. 101-102). "Los malos vuelven. Son como el cáncer. / Pero ¡qué diablos! Sal de tu inopia. / Junta tus fuerzas y acaba al máncer. / Hazte justicia por mano propia. // Mata al canalla que te moteja. / Córtale el cuello. Basta de grita. / ¿O aún aguardas que te proteja / tu dios judío y antisemita?" (pp. 60-61). Expresiones de Grünberg que recuerdan la indignación de un Bialik llamando a reaccionar contra los pogromistas rusos.

Acerca del contenido de *Mester de Judería* dice Julio Noé: es un "libro patético acerca del cual no hay otro que se le parezca en nuestra literatura. Nada se intenta en él que no sea decir el dolor y la indignación del poeta que lo compuso" [42]. Y también en su forma se destaca. Dice Borges en su prólogo: "singularmente original es el concepto de la rima que declaran los poemas de Grünberg" (p. XIII). Efectivamente, la experimentación con diversas estructuras métricas, rítmicas y de rima constituye un otro aporte de estos textos poéticos. No obstante, su singularidad deviene centralmente de su tono y contenido.

Narración de Pascua

Los dramáticos años cuarenta, que C.M.G. comenzó dando a luz su fundamental *Mester de Judería*, fueron también para él años en los que profundizaría dos experiencias: la de traductor multifacético y la de redactor de una revista de vida tan intensa como fugaz.

Componer poemas, cuentos o novelas no son tareas necesariamente características del pueblo judío; traducir sí lo es. Y no sólo porque el pueblo judío siempre respiró a un tiempo en varias lenguas, y no sólo porque lo escrito en hebreo, ídish, judezmo y demás idiomas judíos siempre necesitó de traductores para trascender sus límites idiomáticos. Es una tarea judía porque traducir implica interpretar, porque toda versión es un comentario. Y si hay una tarea marcada por la impronta judía, de talmudistas y cabalistas en adelante, es la del exégeta. "El judaísmo vivirá mientras viva la interpretación", escribe Santiago Kovadloff en un ensayo [43].

Grünberg, hombre enamorado de las lenguas, comenzando por la propia, el español [44], poseía el don de traducir. Dotado de oído para percibir los matices de las lenguas, tradujo a Enrique Heine del alemán [45], a Humberto Saba del italiano [46], a Daniel Pasmánik del francés [47], a Juda León Magnes del inglés [48], a H. Leivik del ídish [49] y del hebreo "El Gloria" [50], "La plegaria del cántico" [51] y partes del Génesis [52]. Pero su traducción más importante, y también la más controvertida, fue la "Narración de Pascua" [53], versión del hebreo y del arameo de la tradicional Hagadá de Pésaj.

Producto de un trabajo al que dedicó varios años [54], esta traducción del milenario texto pascual, aparecida en 1946, fue elaborada siguiendo fielmente un particular criterio que explicita así en el prólogo:

Deseoso de realizar una traducción científica y objetiva, no artística y subjetiva, y beneficiando la maravillosa flexibilidad sintáctica y las infinitas posibilidades del español, he vertido la "Narración" palabra por palabra, conservando a cada vocablo original su lugar de orden en la oración, su función oracional, su significado etimológico y su unidad, singularidad o autonomía, y conservando con esto último a cada oración original su número de palabras y su laconismo primitivo. Debo añadir que he vertido la prosa en prosa y el verso en verso, que he vertido cada verso por un sólo verso y que también al verter el verso he seguido escrupulosamente mi método de traducción. Se preguntará cómo he conseguido que el verso castellano, con su ritmo, con su metro, ya que no con su rima (la rima falta casi siempre en los propios versos del original) constara a despecho de tanto obstáculo opuesto a ello. Cábeme responder que lo he conseguido valiéndome de recursos obvios, que el lector descubrirá sin dificultad, y principalmente de estos dos: el uso del arcaísmo —de la voz arcaica o del giro arcaico— y, en los frecuentes casos en que el verbo copulativo hebreo está elíptico o tácito, la colocación discrecional del verbo copulativo castellano mediante el cual, como única excepción a la regla de no agregar palabra, lo traduzco y lo restablezco[55].

Esta forma de traducir un texto sagrado se corresponde con la que solían utilizar los maestros sefardíes para enseñar la Biblia hebrea a sus alumnos, vertiendo literalmente palabra por palabra el texto original hebreo a una lengua que el profesor Haim Vidal Sephiha llama *judeo-español calco* o ladino, diferenciándola del *judeo-español vernacular* o judezmo. Esta última sería la lengua coloquial de los judíos descendientes de los expulsados de España por la Inquisición, mientras que el *judeo-español calco*, por su traslación literal de léxico y sintaxis hebraicas al español, no habría constituido una lengua hablada ni hablable.

La interesante versión grünberguiana de la Hagadá, producto de la investigación léxica que hace C.M.G. para dar en las arcas del castellano antiguo con términos equivalentes a los del original hebreo y arameo, y la organización de esos términos según la estructura de estas lenguas, produjo en español un texto más erudito que literario, con momentos de gran hermosura y otros más aptos para ser disfrutados por estudiosos que para ser leídos en la mesa pascual por el común de las gentes.

La revista Heredad

A comienzos de 1946, el mismo año en que ve la luz la *Narración de Pascua*, y también bajo el auspicio de la Fundación para el Fomento de la Cultura Hebrea, aparece en Buenos Aires *Heredad*, revista bimestral cuya dirección le es confiada a Grünberg. En su primer número, tras señalar que la reciente aniquilación de la judería europea y de su cultura impone nuevas obligaciones a los judíos de las Américas, resume sus propósitos agregando:

> De ahí esta revista, que se propone contribuir al cumplimiento de la tarea o misión que hoy recae sobre el judío americano; de ahí su nombre de HEREDAD, que alude al factor mosaico de nuestra civilización, al factor judaico de nuestra cultura [...] y de ahí sus dos secciones principales, una antológica, donde se retoma, y otra creativa, donde se procura añadir[56].

El primer número de esta revista corresponde a los meses de enero-febrero de 1946 pero su existencia sólo se extiende por algo más de un año, hasta el número 15-16 correspondiente a marzo-abril de 1947. En total fueron siete números de los que cabe rescatar la calidad de sus colaboradores –de D. J. Vogelman a Máximo Yagupsky, de Abraham Rossenvaser a José Mendelsohn y Boleslao Lewin– y a la de los autores traducidos: Agnón, Max Brod, Arnold Zweig, Opatoschu, Scholem Aleijem y Péretz entre otros. Pese a lo efímero de su existencia, habrá que tener en cuenta *Heredad* cuando se haga un balance de las publicaciones que brindaron un aporte significativo a la cultura judeo-argentina.

El primer representante de Israel en la Argentina

El último tramo de los años cuarenta significaron para el pueblo judío la lucha por la constitución de su Estado y por su reconocimiento internacional. En esos días conmovedores que precedieron y siguieron al nacimiento de Israel, C.M.G. tuvo a su cargo una importante misión como jurista y como diplomático, en las Naciones Unidas primero y en la Argentina después. Grünberg mismo lo relata así:

> El 12 de agosto de 1948, el Director de la División Latinoamericana de la Cancillería de Israel, D. Moshé A. Tov, me designó Oficial de Enlace del Estado de Israel ante el Gobierno de la Nación Argentina, y posteriormente, el 28 de febrero de 1949, el Canciller de Israel, D. Moshé Sharet, me designó Representante Especial del Estado de Israel ante el Gobierno de la Nación Argentina.
>
> El 14 de febrero de 1949, y de resultas de mis gestiones anteriores, realizadas como Oficial de Enlace, el Poder Ejecutivo Nacional dictó, en acuerdo general de ministros, el decreto Nº 3668, cuyo art. 1º dice: "Reconócese al Estado de Israel como Estado soberano". El trámite de este decreto fue laborioso y difícil. La República Argentina, que el 29 de noviembre de 1947, cuando la Asamblea General de las Naciones Unidas adoptó la Resolución sobre el Futuro Gobierno de Palestina, se había abstenido de votar, se demoró largamente en reconocer a Israel.
>
> El 17 de febrero de 1949, presidí, como Oficial de Enlace, una ceremonia pública, celebratoria del reconocimiento argenti-

no del Estado de Israel, que tuvo lugar en la sede de la Oficialía de Enlace, situada en la calle Larrea N° 744, y en cuyo transcurso enarbolé, junto a la bandera argentina, la bandera israelí [57].

Este es un hecho casi olvidado: Carlos M. Grünberg fue el primer representante del Estado de Israel ante el gobierno argentino, y también el primero en izar la bandera israelí en Buenos Aires. Tras la llegada del primer embajador, D. Jacob Tzur, C.M.G. fue designado consejero honorario de la Embajada de Israel en Buenos Aires [58].

Una acotación interesante: el interés de Grünberg por la carrera diplomática no había comenzado en 1947. Según se consigna en un trabajo de Ignacio Klich y Gladys Jozami [59], en marzo de 1928 C.M.G. se incorporó como supernumerario al Ministerio de Relaciones Exteriores argentino, con la intención de acceder a la carrera diplomática. Pero esa permanencia de Grünberg en la cancillería duró muy poco, presuntamente porque "la identidad judía de Grünberg (y su posible filiación de izquierda) quedaron al descubierto cuando sus antecedentes policiales fueron remitidos a la cancillería: aquel cuyo segundo nombre era Moisés (en la ficha de ingreso a cancillería, como en el pedido de informes, sólo consta la inicial M) había compartido la opinión de Servando Vladimirsky, un compañero de escuela secundaria «de nacionalidad rusa», quien se expresó «en forma despectiva y violenta contra el símbolo de la patria» el 20 de mayo de 1919, es decir pocos meses después de la Semana Trágica. Desconociéndose si este informe fue el que impulsó a Grünberg a abandonar la idea de una carrera diplomática argentina, no es descabellado suponer que con el clima imperante su estigmatización como izquierdista le habría cerrado las posibilidades de avance en ese Ministerio. A decir verdad, tal antecedente policial no puede haber causado buena impresión, sea bajo un gobierno radical o el primer gobierno peronista, cuando Grünberg actuaba como agente de enlace del Estado de Israel, y la cancillería solicitó informes sobre este representante irreconocido" [60].

Junto a un Río de Babel

Grünberg pensaba titular *Nuevo Mester de Judería* [61] su cuarto poemario, dándolo como continuación de su *Mester de Judería* aparecido en 1940. Pero entre uno y otro había corrido un largo cuarto de siglo, surcado de momentos dramáticos, en especial la Shoá y el nacimiento de Israel. *Junto a un Río de Babel*, el título finalmente elegido por C.M.G. para su obra, de alguna manera da cuenta de ambos hechos. Por una parte, pueden percibirse resonancias de la tragedia judía de los años cuarenta en la atribulada atmósfera del Salmo a que alude este título[62]. Por otra parte, llevando al singular "los ríos de Babel" con que inicia en la Biblia el Salmo 137 –citado en la portadilla del libro– C.M.G. alude al porteño Río de la Plata cuyas orillas diaspóricas, babilónicas, según explicita en varios poemas, no piensa cambiar por las del Jordán, pese a su hondo vínculo con el recién nacido Estado de Israel[63].

Obra de madurez, en *Junto a un Río de Babel* Grünberg privilegia la lógica y la ética por sobre la forma, utilizando un idioma despojado, casi coloquial, que sin perder riqueza está lejos de los barrocos alardes de erudición que caracterizan muchas de sus obras anteriores. "El periplo que marca la transición de *Mester de Judería* (1940) a *Junto a un Río de Babel* (1965) decanta no sólo una escritura poética que va perdiendo la fascinación castiza del español tan caro a los judíos de su generación (el Gerchunoff de *La jofaina maravillosa*, por ejemplo) sino también se despoja de otras ilusiones y espejismos"[64].

Marcados por la experiencia del Holocausto y por la del tan auspicioso como dramático nacimiento del Estado de Israel[65], los de *Junto a un Río de Babel* son poemas más apegados a la reflexión y a una amarga ironía que a la metáfora. "El hombre mejora / la naturaleza. / Le añade lo suyo: / justicia; belleza. // Reforma y rehace / toda la creación; / muda el campo en campo / de concentración" (p. 15). "Dios no es un viejo riguroso, / sino una niña dulce y cruel. / La niña tiene una muñeca. / Le ha puesto el nombre de Israel. // Ya la viste, ya la desnuda. / Ya le da un beso, ya un trompón. / Ya la mece y la arrulla tierna, / ya la rompe de un manotón" (p. 48). Textos breves, de aliento nervioso, la mayoría de una sola estrofa. "Hoy no está mi corazón / para poemas extensos. / No lo está para escribirlos; / no lo está para leerlos" (p. 246).

Dice Leonardo Senkman en su notable *La condición judía en la literatura argentina*: "Si el judezno de aquellos años del nazismo y la guerra europea se sentía vapuleado por los antisemitas nativos y extranjeros hasta hacerle gritar de dolor y de furia, ello no fue suficiente para hacerle sentirse extraño en la Argentina. En cambio, el poeta de los años 60 ya no compone blindados sonetos de batalla ni de honor ultrajado. Más bien urde un lamento de medio tono, la elegía del exiliado de ambas patrias, de la madre patria y de la de nacimiento, como dice"[66].

Analizando otro plano, añade Senkman: "Dentro de este nuevo espacio existencial e ideológico hay que leer ese desgarrado lamento de *Junto a un Río de Babel,* escrito por un judío que se siente, de pronto, extraño en la Argentina y un exiliado en Israel" [67]. "En mi patria –tierra / de la vidalita, / pero no del salmo– / soy un extranjero. // Y en mi madre patria / –suelo de profetas / pero no de gauchos– / también lo sería. // Y en el otro mundo / –que muero negando–, / si allá desemboco, / también lo seré" (p. 137). "Con argentinos gentiles, / subargentino; / con judíos israelíes, / subjudío" (p. 140).

"La Tierra no se compone / de Sion y expatriación. / Toda la Tierra es destierro; / destierro es la misma Sion" (p. 144). La ironía nunca duerme en la palabra de este extraño desterrado profesional: "Hace dos mil años / que me esperas, Sión. / Y ahora me llamas. / Y en toda ocasión. // Pero, ¿puede un árbol / marchar hacia ti? / Ya no soy un hombre; / he arraigado aquí. // Cuando vuelva a serlo, / me recobrarás. / Tienes que esperarme / dos mil años más" (p. 135).

C.M.G. ya es nítidamente, en *Junto a un Río de Babel,* ese hombre que se presentaba a sí mismo en "Un diferente y su diferencia" [68]: "Yo quiero a mi patria y a mi madre patria. / Dos lealtades tengo. / Mil y una lealtades. / Lealtades sin cuento. / Quiero a mis parientes / y a cualquier ajeno. / Quiero a mis vecinos / y a los forasteros. / Y a los provincianos / y a todo porteño. / Y a mis compatriotas / y a los extranjeros. / Y a los blancos / y a los negros. / Y al creyente / y al ateo. / [...] / Y a los sanos / y al enfermo. / Y al dormido / y al despierto. / Y al poeta / y al herrero. / Y al alumno / y al maestro. / Y al patrono / y al obrero. Y al profano / y al experto. / Y a los niños / y a los viejos. / A todos los hombres. / A todos los quiero" (pp. 181-184). Y agrega en la página siguiente: "Yo debo de ser un monstruo, debo de serlo dos veces, / pues quiero a mis semejantes, / quiero a todos mis congéneres, / y de entre ellos quiero más, / mucho más, no mucho menos, / a los más desemejantes, / a los más heterogéneos" (p. 185).

La capacidad grünberguiana para sumar afectos y para integrar ese par de grandes amores suyos, lo judío y lo argentino, posiblemente encuentre su más alta expresión en uno de los últimos poemas de *Junto a un Río de Babel:* un soneto –uno de los más hermosos de la literatura argentina y, tal vez, de la lengua castellana– compuesto por Grünberg en 1950, bajo el impacto de la repentina muerte de Alberto Gerchunoff, su amigo y maestro:

> Somos, Alberto, la sección hispana / de los nabíes y de los rabíes, / que dobla en sus ladinos otrosíes / la unicidad jerosolimitana.

// Somos la cuadratura castellana / del círculo judío. Sinaíes / en buen romance, Toras sefardíes, / salmos y trenos a la toledana. // Tú has sido nuestro sumo sacerdote / y has mantenido tu almenar celote / siempre encendido en el turbión opaco. // Te vas y por eterna sobreveste / no dejas el taled blanquiceleste / que usabas como poncho calamaco. [69]

El par de estrofas que cierran *Junto a un Río de Babel* resumen su espíritu y el del hombre que lo compuso: "He envejecido trovando, / como un poeta cabal, / mas trovando, a lo profeta, / sobre el bien y sobre el mal. // He trovado por decenios / y me conozco al final: / yo no siento otra belleza / que la belleza moral" (p. 259).

Epílogo

Fue en la antigua casona de la calle México, en la vieja sede porteña de la Sociedad Argentina de Escritores, durante la noche del 23 de noviembre de 1965, al finalizar la presentación de *Junto a un Río de Babel*, su último poemario. Varios escritores –Juan José Ceselli, Marta Lynch, Bernardo Ezequiel Koremblit, Ulyses Petit de Murat, César Tiempo, Bernardo Verbitsky– se habían ocupado ya del libro y una actriz –Rosa Rosen– había dicho algunos de los poemas. Fue entonces que el autor, Carlos M. Grünberg, leyó esas dos carillas de apretadas líneas escritas a máquina, que aún se conservan, "Un diferente y su diferencia", que decían, sobre su final, así:

Permítaseme concluir confesando otro atributo integrante de mi diferencia. Me refiero a mi horror por los privilegios, empezando por aquellos que me favorecen a mí. Llamo privilegio al don inmerecido, al galardón injusto. Hoy me remuerden y me obseden tres privilegios.

Voy al primero. Suelo cultivar la amistad de un zapatero que hace zapatos de medida. Su oficio es tan útil y tan necesario como el mío y los zapatos que salen de sus manos son verdaderas obras maestras. Sin embargo sus zapatos se gastan con el uso. En cambio (y ello siempre me ha parecido prodigioso) los versos y las prosas, y por lo pronto mis versos, no se borran del papel a medida que se los lee. La palabra escrita sobre el frágil y vulnerable papel dura más que la tela del pintor, que el mármol del escultor. No hay nada tan duradero (o sea, con arreglo a la etimología, tan duro, tan resistente) como la palabra. Incluso a despecho de las peores circunstancias. En la Edad Media se quemaron cuantos ejemplares del Talmud cayeron bajo los ojos de los fanáticos. Pero la Edad Media ha transido y el Talmud ha sobrevivido. Y aún antes de la invención de la imprenta, y aún antes de la invención de la escritura, el hombre arrancó a los ritmos del lenguaje, con la invención del verso, el secreto de la eternidad de la palabra. Según la tradición rabínica, Yaveh creó el universo por la Tora, para la Tora, con vistas a la Tora, por amor a la Tora. Tora significa doctrina, y más ceñidamente la doctrina del Pentateuco, y más ceñidamente el Pentateuco. Y el Pentateuco ¿no es palabras? Conque, según la tradición rabínica, el universo es el pretexto de un texto, el medio tendiente al fin de la palabra, y la duración de la palabra más cierta que la duración del universo. Y Platón enseña, en el Timeo, que "el tiempo es la imagen móvil de la eternidad". ¿Cómo no agregar que todas las demás cosas están en el tiempo y que la palabra es la eternidad, que la palabra inmoviliza el tiempo y lo transfigura en eternidad, que la palabra es la llave y la esencia de la eternidad? No es verdad que a las palabras se las lleva el viento; la palabra es el viento del espíritu que arrebata todos los vientos de la materia. Y no es verdad que pueda escribirse en la arena; siempre se escribe en la eternidad; lo escrito, escrito queda.

Y voy al segundo privilegio. Sigo comparándome con mi amigo zapatero. Repito que su oficio es tan útil y tan necesario como el mío y que sus zapatos son verdaderas obras maestras. Sin embargo sus zapatos jamás han sido públicamente aplaudidos. En cambio mis versos han recibido alguna vez el aplauso público.

Y voy al tercero y último privilegio. Al privilegio de este acto…

Junto a un Río de Babel fue premiado al año siguiente, en 1966, por la Sociedad Argentina de Escritores con su "Faja de Honor", gracias a que algunos amigos, sin que él lo supiese, presentaron su libro. C.M.G. nunca lo había hecho ni había sido premiado. Poco después Grünberg enfermó y el 25 de julio de 1968 falleció, tal como él suponía, a la misma edad que había muerto su padre, 65 años.

El cuerpo de Grünberg fue incinerado y sus cenizas arrojadas por su hijo al porteño Río de la Plata. C.M.G. se lo había encomendado en *Junto a un Río de Babel:* "Viejo partidario / de la cremación, / te encomiendo, hijo, / mi incineración" (p. 207). Ya lo había anticipado antes, en 1940, en el último poema de *Mester de Judería:* "¡Viejo tizón judío! ¡Tizón expurgatorio! / Tienes la luminosa vocación de la hoguera. // La religión judía –que no es el judaísmo– / proscribe seriamente las incineraciones. / La cristiana interdice, también, las cremaciones. / En resumidas cuentas, a mí me da lo mismo. // Lo he consagrado todo, pero no espero nada. / Ni de mi propia gente. Ni para mi ceniza, / para mi descastada ceniza advenediza. / Para mi endemoniada ceniza excomulgada" (p. 144).

"Su caja estaba cubierta por una manta con un Maguén David. Cuando la caja emprendió el camino hacia la quemazón grité: «¡Todas las palabras están congeladas!», queriendo decir que una vez que el dueño de las palabras había muerto, ya ninguna valía nada. Entonces César Tiempo, que estaba a mi lado, me abrazó diciendo: «Las palabras escritas, no»." Esto me lo contaba años más tarde Adina, la viuda de Carlos Grünberg cuando la visité de la mano de un entrañable amigo común, León Herman. Corría noviembre de 1990 y Adina, con sus 87 años, baja, robusta, rápida, aguda, simpática, hermosa, coqueta, nos recibió vestida de punta en blanco. "Carlos no dejó nada inédito –nos dijo– sabiendo que su enfermedad era fatal, destruyó todos sus manuscritos, incluso un trabajo en el que venía interesado desde hacía mucho acerca del origen común de todas las lenguas. Para desarrollarlo decía necesitar un equipo de profesionales e internarse en una biblioteca importante, pero nunca pudo conseguir la gente ni el tiempo" [70].

Conversamos con ella largamente, disfrutando de su humor y de su asombrosa memoria y prometiéndole volver. Cuando volví a esa casa del séptimo piso de la calle Corrientes fue para entrevistar a su hija Noemí. Adina había fallecido totalmente lúcida el 9 de noviembre de 1994. Sus restos fueron incinerados y sus cenizas sembradas en el ya familiar Río de la Plata, el Río de Babel [71].

Pero la poesía no muere. Así evoca la casa familiar Noemí Grünberg en un extenso poema todavía inédito: "Sólo yo abro las pesadas cortinas de la sala / las puertas de cristales que separan / éste y tu hábitat silencioso y solitario / donde crecía su magia la palabra / –tu lenguaje desnudo y condensado– / el ámbito sagrado de tu estudio, / los gastados sillones / las tacitas de café sobre la mesa / el hermoso escritorio de caoba / rebosando libros y papeles, / las plumas de escribir y la Olivetti / –sólo dos dedos tecleando tantos versos– / los estantes de libros y más libros / –otras vidas que cobijan nuestra vida– / los cajones secretos, sus misterios / –el olor a ficción que los habita– / y padre que me mira por sobre sus gafas / desde atrás de sus ojos / desde el fondo / y siento la dulce proximidad de su ternura / la brisa jugando en las cortinas / la lluvia que cae en el balcón de Corrientes, / mi casa. / Todo en esa ciudad que duelo y amo / a la orilla de un río que me vio nacer / y que no cesa…"

Una confesión final: yo tuve un muy breve encuentro con Carlos M. Grünberg allá a comienzos de 1958 gracias a César Tiempo, quien me envío a entrevistarlo para la página literaria del diario *Amanecer,* pero poco después ese diario dejó de aparecer y aquella entrevista nunca se publicó. Ya no recuerdo las preguntas ni las respuestas; sólo recuerdo de ese encuentro la semiluz y el hondo silencio de su gabinete, su rostro serio, su palabra reconcentrada y precisa, sin asomo de seducción. Ya había andado entonces su *Mester de Judería,* que a lo largo de todos esos años volví a recorrer muchas veces, como lo hice luego con su *Junto a un Río de Babel;* también sabía una cantidad de hechos y anécdotas de su vida, de modo que cuando preparé el plan de esta obras yo creía conocer a Carlos M. Grünberg. Pero cuando me sumergí de veras en las entrelíneas de su obra, cuando anduve los cuartos y rincones de su vida a través de la mirada de quienes lo conocieron, fui fascinándome, apasionándome con este hombre tan complejo, tan puro y tan entero, Estas páginas se proponen compartirlo, rescatar la lucidez y el fervor, la entereza y el compromiso, el aire y el oxígeno de la poesía, de la prosa, de la vida de Carlos M. Grünberg; compartir un retrato espiritual cosechado a lo largo de unas conmovedoras andanzas por entre los papeles, los libros, los días y los recuerdos sembrados por este hombre que hizo un culto fraternal del respeto y del amor por lo diferente y por su diferencia.

Quedo en deuda con un conjunto de personas que participó de diversas maneras en las búsquedas y los encuentros que dieron vida a este libro dedicado a Carlos M. Grünberg. De manera especial va mi gratitud a Noemí Grünberg y a Edmundo Eisen por su entusiasta compromiso con este homenaje y su concreción; a Ana E. Weinstein por su inteligente lectura crítica de cada página de esta obra; a Gabriela Grünberg, a Ignacio Klich, a José Luis Trenti Rocamora, a Leonardo Senkman, a Jacobo Kovadloff, a Santiago Kovadloff, a Gerardo Mazur y a Bernardo Ezequiel Koremblit, por la generosidad de sus recuerdos, observaciones y sugerencias. Finalmente un reconocimiento especial a Héctor Yánover por haber prestado su voz afectuosa a la poesía de Grünberg y a León Herman por haber sido el primer adelantado de la idea que dio nacimiento a este homenaje a la vida y a la obra de Carlos M. Grünberg.

Eliahu Toker

Acerca de Carlos M. Grünberg

El incidente del colegio Mariano Moreno

En su edición de junio de 1919, la revista Vida Nuestra *dio cuenta de esta manera del incidente protagonizado por C.M.G. a los quince años y que le valió ser expulsado del colegio Mariano Moreno.*

Fue pocos meses después de enero de 1919, cuando tuvo lugar en Buenos Aires la "Semana Trágica" en cuyo transcurso grupos nacionalistas atacaron el barrio judío de la ciudad.

Nuestros lectores saben ya, por las publicaciones hechas en los diarios, cuál es el castigo que se ha impuesto a los alumnos Carlos M. Grünberg y Bernardo Vladimirsky, del colegio nacional arriba nombrado, a raíz de un incidente en el que les cupo ser protagonistas y del que vamos a ocuparnos.

A un mes de distancia, la nuestra es la primera publicación que se hace eco del asunto para referirse a él con la debida imparcialidad. Hacer esta afirmación equivale a condenar la actitud de la prensa, que con entusiasmo digno de mejor causa ha servido de vehículo para difamar y comprometer el porvenir de dos niños, merecedores por todos conceptos de más benigna suerte. Más abajo demostraremos cómo es falsa la acusación de que se hizo víctimas a Grünberg y Vladimirsky; y no ignoramos cuánta responsabilidad asumimos al hacerlo por nuestra cuenta. Precisamente por esto nos parece más criticable la actitud de la prensa, pues ya que ha recogido y hasta comentado apasionadamente el incidente, antes de comprobar su veracidad, por lo menos habría debido admitir la defensa, que no se niega ni a los culpables. No lo hizo y así contribuyó a que la opinión pública se forme un juicio falso al respecto. Antes de exponer los hechos queremos agregar que *Vida Nuestra* no hubiera tomado la defensa de los dos alumnos expulsados si no hubiéramos comprobado previamente la exactitud de lo que afirmamos.

He aquí cómo ocurrió el ya famoso incidente, mejor dicho, lo que le dio origen. Grünberg y Vladimirsky eran, desde los primeros cursos del nacional, alumnos del "Mariano Moreno" y ambos han merecido varias menciones, correspondiendo al primero de ellos la medalla de oro del cuarto año, que debió entregársele pocos días después de su expulsión, en una fiesta pública. Esta condición de alumnos sobresalientes les ha creado entre sus compañeros muchos enemigos, y de entre éstos hubo de surgir el que causó su desgracia. Desde que comenzaron las clases de este año y a raíz de sucesos recientes, los alumnos sostenían, durante los recreos, discusiones de carácter público, dando ello motivo a que se dividan en dos grupos: liberales y reaccionarios. Grünberg y Vladimirsky pertenecían al primero que, naturalmente, no era el más numeroso, pero era el que se llevaba la mejor parte. Cierto día un compañero del grupo opuesto dijo a Grünberg, con el propósito de ofenderlo, que "la bandera rusa es un trapo sucio". Éste que es argentino y que ni siquiera por sus padres está vinculado a Rusia, no se sintió afectado por el insulto. Y replicó a su contrincante desde un punto de vista general y colocándose en un terreno filosófico. Su razonamiento fue, más o menos, el siguiente: las banderas son símbolos de patria, y si la rusa es un trapo sucio, todas las otras lo son también. Por consecuencia, al ofender una bandera extranjera, dijo Grünberg a su adversario, no has hecho otra cosa que ofender la nuestra. Este es el punto de partida del asunto y acaeció un mes antes de las conferencias patrióticas de Mayo.

Durante una de éstas, en que el profesor expresó ideas análogas a las que sostenían siempre Vladimirsky y Grünberg, y mientras hablaba éste, un alumno, el mismo que ofendió la bandera rusa, se puso de pie y dijo al profesor estas palabras: "Señor; Grünberg no tiene derecho a hablar de patriotismo, porque una vez ha dicho que la bandera argentina es un trapo sucio". Levantóse a su vez Vladimirsky y defendió a su compañero en estos términos: "Yo –dijo– no oí nunca proferir semejantes palabras a Grünberg; pero, de haberlas pronunciado, sólo debían haberse referido a la bandera como emblema, porque «una cosa es el signo y otra la cosa significada». La cosa significada es la patria, y ésta no puede ser mancillada". Con esto se dio por terminado el asunto y continuó la clase. Nótese bien que de haber dicho Grünberg durante la conferencia lo que le atribuían los diarios, el profesor le habría expulsado.

Pero hubo alguno que no se dio por bien servido y llevó el asunto al rector, naturalmente tergiversándolo. Se hizo luego un sumario, en que intervinieron elementos ajenos a la clase y se prescindió del testimonio del profesor en cuya clase se dijo que Grünberg y Vladimirsky pronunciaron la frase de que se les acusó. Antes de que los acusados pudieran demostrar su inocencia se pasó el sumario al ministro de Instrucción Pública, se hicieron publicaciones en los diarios y en el consejo de profesores no se les leyó a los inculpados el sumario ni se permitió hablar en presencia de éstos a los profesores que quisieron tomar su defensa.

Tal fue el procedimiento que se siguió con los "maximalistas rusos". Uno de los detalles que evidencian más la iniquidad que se ha consumado con Grünberg y Vladimirsky es el que se refiere a la nacionalidad del primero, de quien se dijo que es ruso. No sólo no lo es Grünberg sino que tampoco es de ese origen su padre; éste es oriundo de Egipto y lleva de residencia en el país más de veinte años, haciendo quince que se ha naturalizado. Al hacerlo y como testimonio de su amor al país, ha renunciado a los beneficios que acuerda el artículo 21 de la Constitución. En cuanto a la madre de Grünberg, es austríaca. Esto prueba que es bastante remoto el vínculo de Grünberg con la nacionalidad rusa. ¿Lo ignoraba el rector del colegio? Lo menos que se le puede exigir a éste es que conozca la nacionalidad de sus alumnos, tanto más cuanto que es obligatorio denunciarla al inscribirse en un establecimiento nacional público.

Vida Nuestra, Buenos Aires, junio de 1919, pp. 330-331

Buenos Aires, Diciembre 4 de 1926.-

POLICIA DE BUENOS AIRES

CAPITAL FEDERAL

A S.E. el Señor Ministro de Relaciones

Exteriores y Culto

Doctor Horacio B. Oyhanarte

Tengo el honor de dirigirme a S.E.,
en respuesta a su atenta nota fecha 29 de Noviembre ppdo
para informarle que de averiguaciones practicadas se ha
establecido que el llamado Carlos Moisés Grunberg, domi-
ciliado Entre Rios 275, el 20 de Mayo del año 1919, sien
do alumno de 5º año del Colegio Nacional Mariano Moreno,
conjuntamente con su condiscipulo Servando Vlidimirsky d
nacionalidad ruso, y en circunstancias de conmemorarse e
aniversario de la Revolución de Mayo, se expresaron en
forma despectiva y violenta contra el símbolo de la patria, diciendo Vlidimirsky que la bandera argentina es u
trapo sucio, actitud que fué compartida por Grunberg, qu
le presta su asentimiento.

Por cuyo motivo, previo consejo de
profesores, fueron expulsados de la Escuela y el Señor
Rector del mencionado Colegio comunicó los hechos al Señor Ministro de Justicia é Instrucción Pública.-

Saluda a S.E. atentamente

Buenos Aires, Diciembre 4 de 1929.-

A S. E. el Señor Ministro de Relaciones Exteriores y Culto
Doctor Horacio P. Oyhanarte

Tengo el honor de dirigirme a S.E. en respuesta a su atenta nota fecha
29 de Noviembre ppdo. para informarle que de averigüaciones practicadas se ha establecido que el llamado Carlos Moisés Grünberg, domici-
liado Entre Ríos 375, el 20 de Mayo del año 1919, siendo alumno de 5º
año del Colegio Nacional Mariano Moreno, conjuntamente con su condiscípulo Servando Vladimirsky, nacionalidad ruso, y en circunstancias
de conmemorarse aniversario de la Revolución de Mayo, se expresaron
en forma despectiva y violenta contra el símbolo de la patria, diciendo
Vladimirsky que la bandera argentina es trapo sucio, actitud que fue
compartida por Grünberg, que le presta su asentimiento.

Por cuyo motivo, previo consejo de profesores, fueron expulsados de
la Escuela y el Señor Rector del mencionado Colegio comunicó los hechos al Señor Ministro de Justicia e Instrucción Pública.-

Saluda a S.E. atentamente.

Carlos M. Grünberg en el recuerdo de su hija Noemí, de su nieta Gabriela y de su empleada Angélica Franco*

El C.M.G. de la intimidad

NOEMÍ: Yo recuerdo en los cajones de papá montones de libretas y cuadernos. Él escribía en el estudio horas y horas, todo el día; era su recinto sagrado. Las tres habitaciones que componían su estudio estaban separadas de nuestra casa por una puerta que quedó en mi memoria como muy grande aunque ahora ya no la veo así. Mi imagen es papá permanentemente sentado ante el escritorio y mamá sentada en un sillón cebándole mate sin abrir la boca, horas, tardes enteras, mañanas enteras; él no le prestaba la menor atención pero cuando mamá hacía el gesto de levantarse, papá decía: ¿Ya te vas? Y mamá volvía a sentarse. Era su presencia; no le dirigía la palabra pero necesitaba que estuviera. Papá se sentía perdido si mamá no estaba en casa.

No debía de ser el esposo ideal pero no recuerdo a mamá quejándose nunca de eso. Mi madre lo admiraba mucho. Supongo que en la vida diaria no era de buen carácter aunque tampoco de mal carácter, pero estar las veinticuatro horas en su mundo...

No sabía prender el gas, hervir el mate ni hacer un huevo frito. Nunca usó reloj pulsera. Decía que el pulso le alteraba la hora; usaba reloj de bolsillo.

El ritual de papá de todos los días de la semana empezaba por leer los veinte periódicos del día en la cama; después se levantaba y se ves-

* De las entrevistas de E.T. con Noemí Grünberg (8 y 13 de mayo de 1998), Gabriela Grünberg (9 de junio de 1998) y Angélica Franco (13 de mayo de 1998).

tía como para recibir a un embajador. Escribía de corbata y chaqueta –también iba a la playa con corbata y chaqueta– y se sentaba y escribía; no oía nada de lo que sucedía, había un respeto tácito increíble; de vez en cuando le leía a mamá algo de lo que escribía pero poco. Creo que la no participación de papá en el mundo cultural, fuera de su ámbito, se debía a su carácter. Iba a una reunión y todos participaban menos él. Nunca hablaba; escuchaba y le reventaba si decían idioteces, bufaba. No lo expresaba públicamente, no lo recuerdo expresando desprecio por nadie; por un ignorante sí. No recuerdo a papá sintiéndose incomprendido.

No era lo que se dice un padre presente en las cosas domésticas, ignoraba si necesitábamos zapatos o si había que inscribirse en el colegio. Todo eso se transmitía a través de mamá. Evidentemente sabía las cosas a través de mamá porque las conversaba con nosotros durante las lecturas de la noche, cuando nos leía libros, como *El Lazarillo de Tormes*.

Era muy cariñoso cuando te acercabas. A él le costaba entregarse pero era muy tierno.

Por lo general se aislaba; transmitía mucho a través de mamá y se sentía fuerte a través de ella. Él no tomaba las grandes decisiones. Era un tipo de matrimonio así; siempre mamá protegió su mundo y sólo empezó a participarnos de ese mundo suyo cuando ya éramos grandes, lo que fue una gran pena.

No recuerdo que nunca nos levantara la voz. Una vez me levantó la mano porque yo había usado la tinta Parker que él tenía guardada para sus estilográficas y recuerdo la mirada de terror que puso después. No llegó a ser una cachetada, pero lo sufrió.

Hay fotos en las que se lo ve en la playa pero iba muy poco. Empezó a ir con mamá; con nosotros no. Se ve que veraneábamos mucho; en aquel entonces se podía o se estilaba, y entonces él venía. Pero como la Feria Judicial nunca coincidía venía los fines de semana. A él no le gustaba el sol, era muy, muy blanco. Lo recuerdo vestido en la playa. Después, de grandes, sí salía a caminar con mamá, pero poco. No iba mucho afuera, no teníamos coche ni éramos de ir al campo, y esperaba el fin de semana para trabajar en lo que él quería.

Escribir y leer, escribir y leer. Leía mucho más de lo que escribía; él necesitaba del tiempo para leer y se ponía mal, se impacientaba, cuando tenía que terminar un escrito judicial. Creo que hubiera escrito muchísimo más si hubiera tenido más tiempo, más dinero. En algún momento fue abogado de una empresa sueca de la que recibía un pequeño sueldo, y después lo fue de Gilera, época de cierta bonanza porque tenía un sueldo. Era generoso con lo que tenía, pero para él sólo quería libros; si llegaba un cumpleaños era el único regalo que recuerdo; no se le pasaba por la cabeza otra cosa. Le gustaban ensayos, filosofía.

Recién nos leyó sus poemas cuando éramos grandes, creo que a los 18 años. Yo me fui del país a los 21. Si tú le decías léeme un poema que hayas escrito, se derretía y entonces pasabas a ser el perfecto interlocutor, a su altura e incluso más arriba, capaz de juzgarlo.

Yo entonces hacía pinitos de escritora; él quería muchísimo que le leyera, que escribiera. Él guardaba todas mis cosas con un respeto enorme en un cajón del escritorio que está todavía en la biblioteca y que era mío; era el único que tenía la llave y yo se la pedía cuando quería.

Su traducción de la Hagada tiene ilustraciones que se hicieron en Macabi, entre ellas hay una foto de los judíos saliendo de Egipto en la que incluyó a mi hermano de chiquito.

ANGE: Lo más alegre y hermoso que recuerdo fue el casamiento de la hija, de Betty. Se casó en el Templo de la calle Paso y acá, en su casa de la calle Corrientes, fue la reunión, todos de largo. Ese casamiento fue una gran felicidad para él así como fue una gran pena cuando los hijos tuvieron que partir, una pena muy grande.

Él se levantaba a la mañana y se bañaba, se levantaba a las seis cuando daba clase en Flores, unas cátedras que daba a la mañana, entonces salía tempranito. Los días que no iba se levantaba tarde, se bañaba y se quedaba en la cama porque le gustaba mucho tomar mate amargo, se lo preparaba, se lo traía a la mesa de luz y él se lo servía, cuando no estaba la señora, si había salido por cualquier cosa. Bueno, ahí estaba con los cuatro o cinco diarios del día, acá venían todos y él empezaba a leer, a leer todas las cosas que a él le interesaban y a recortar. Luego se preparaba, se vestía de corbata y se llevaba el saco; si hacía mucho calor lo dejaba en una silla, porque si alguien venía y tocaba el timbre se ponía el saco y los recibía; era muy caballero, una persona muy bien hablada, muy sincero en sus palabras y muy bueno. Uno hablaba con él y se encariñaba.

Era una persona muy estudiosa. Me acuerdo que su madre, la señora Julia, me contó una vez que cuando él era un jovencito, tendría 14 años, ya estaba con los libros, leyendo. Cierta vez la mamá le dijo: "Hijo te he comprado un traje", y él respondió: "Deja, que hay tiempo, yo estoy muy ocupado estudiando", y era su cumpleaños.

Era un reloj para todo y era muy cuidadoso; una persona muy educada, muy fina. De él se puede decir que era una persona muy derecha y muy franca, él lo que tenía que decir lo decía, era derecho, y no era una persona que iba a ambicionarse por algo, como decir yo voy a ser millonario.

NOEMÍ: Ange, ¿tú te acuerdas de papá hablando de dinero?

ANGE: Jamás.

NOEMÍ: Fíjate, no hablaba de dinero, yo nunca tuve la sensación de pobreza. Había el trajecito del domingo, yo usaba la ropa que heredaba de mi hermana, lo que por supuesto no me hacía gracia, pero no era una constante.

Nunca se hizo autobombo, lo rehuía. ¿Sabes por qué papá no está en la Enciclopedia Judaica? Recuerdo ese episodio: le escribieron una carta pidiéndole su currículum y papá les contestó que si ellos necesitaban que él hablara de sí mismo, no merecía estar en la enciclopedia. No lo decía con desprecio, tal vez sí con bronca escondida porque no lo conocían, pero papá decía: "¿Cómo les voy a explicar yo quién soy y qué escribí? Si quieren que yo figure ahí es porque conocen mi obra". Y así en todo. Decía que no tenía tiempo para publicar o para hacerse ver. Le pedían mucho que escribiera en periódicos y lo veías como incómodo. No entraba en el éxito. Esa posición distante que tomaba era interpretada por mucha gente como vanidad, pero por el contrario era producto de una tremenda timidez, le temblaba la voz. Papá una vez me confesó que dando clase a los alumnos del colegio secundario tenía momentos de pánico; eran sus fallas.

No sé si tenía gran sentido del humor, que no es contar chistes sino verle el humor a la vida y creo que esa no es una faceta muy grünberguiana.

No recuerdo nunca un juicio suyo despreciativo, soberbio. El ignorante le molestaba, la frase inútil, la vanidad de los demás y la mentira, jamás. Esas son cosas que heredamos: yo creo que miento y me cae la guadaña ahí mismo. Odiaba el juego, los naipes, la mentira o la ocultación. La segunda vez que fue a los Estados Unidos a visitarnos, en la aduana le hicieron la clásica pregunta "¿Qué trae usted?" "Un par de zapatos nuevos, para un regalo." "Bueno, no lo tiene que declarar." "Es que yo no recuerdo cuánto costó, porque tal vez haya que declararlo…" En fin, insistió tanto que le tuvieron que abrir la valija y ver los zapatos. No podía mentir. La única mentira suya que recuerdo era para evitar atender el teléfono. Odiaba el teléfono; la que atendía era mamá y papá no quería estar: "no, que no estoy", y se iba, se escondía.

En esa época no había jubilación para el servicio doméstico y, para que Ange la cobrara, papá la puso como empleada de su estudio. Ella entró de muy jovencita como secretaria, y él decía que algún día esto le iba a servir para acumular años. Papá era muy antiperonista pero sabía que Ange era peronista; entonces antes de unas elecciones le trajo la boleta de su partido y le explicó cómo tenía que hacer para votar lo que ella quería.

ANGE: Conversaba con las personas que a él le gustaba conversar. Él me decía: "A mí no me gusta perder tiempo con las personas que no entienden y no saben".

Había días en que estaba todo el tiempo escribiendo sentado en esa mesa que está todavía en el escritorio, y cuando yo terminaba de ordenar todo en la cocina le servía el café y el mate porque a él le gustaba. Yo aprendí a hacer el café a la turca y él estaba chocho. Tomaba mates, después café, mucho café. Yo le llevaba la tacita de café y no comía hasta la noche. No tomaba vino, bebía coca cola.

Recuerdo que me decía: "Ay Ange, yo voy a ser siempre pobre, no voy a ser rico jamás". Como yo hacía las compras y nadie hacía tantas compras como yo, me decían que él era una persona muy rica; yo venía y se lo contaba. "Usted pasa por el más rico del barrio", y él se reía y me decía: "¿Cuándo iré a ser rico?" Él era muy amante del hogar, y si yo decía "compré tal cosa", él decía "ha hecho bien". No era una persona de decir "Por qué gastó ese dinero". Así era su sencillez, su manera, porque uno podía entregarse a él como a un padre; eso sí, era muy recto.

NOEMÍ: Papá y mamá iban todas las noches al Tropezón. Si papá cenaba bien, no almorzaba. Estaba sentado a la mesa con nosotros y no comía. Los sábados comíamos siempre puchero y venía toda la familia y más gente. Lo llamábamos puchero a la española pero era mucho más rico que el de España. Se hacía toda la mesa muy grande y siempre había gente, amigos nuestros, jóvenes.

GABRIELA: Él siempre comía queso antes de la cena; lo comíamos todos seguramente pero él tenía que tener su plato de queso antes de la cena.

ANGE: Todas las noches le gustaba salir un poco porque, pobrecito, estaba siempre encerrado. A la noche casi nunca cenaba en casa, bajaba con la señora cuando terminaba y se iban.

No me acuerdo bien el año en que empecé a trabajar con él –creo que era 1932 porque el 9 de noviembre la hijita había cumplido tres años y yo entré el 18 de noviembre–. Yo hacía de mamá de la nena porque la mamá trabajaba en una farmacia; se iba a trabajar y yo me quedaba al cuidado de la nena. Vivían pasando el Congreso, en Entre Ríos 275, en una casa. Vivimos también en la calle Mercedes como un año, Mercedes y Camarones, algo así. Pero ahí vivimos muy poco, porque los padres de él tenían una joyería en la calle Entre Ríos y nosotros vivíamos en el segundo piso. Los abuelos tenían la planta baja, pero no vivían ahí, aunque venían todos los días a abrir el negocio. Tenían otro negocio en la calle San Martín. No sé si fue en el año que yo entré que nos fuimos a Mar del Plata, la señora, la nena, yo, y el señor se quedó trabajando y no fue. Allí vivía una tía que alquiló una casa para nosotros, tuvimos tres meses de veraneo, cuando regresamos de allá el abuelo había vendido la casa, y nos fuimos a vivir a Mercedes y de Mercedes vinimos a Corrientes 2014. Los mellizos nacieron aquí, en el centro.

GABRIELA: Antes de irnos a vivir a Puerto Rico mi abuelo quiso regalarme una muñeca vestida de novia, fue su último regalo –él ya estaba muy enfermo, fue en 1967 y mi abuelo murió en 1968– y mi abuela fue a comprar esa muñeca y cuando volvió le dijo a mi abuelo "mirá qué linda muñeca le compramos a Gabriela" y de paso le comentó que la vendedora le había dicho que al día siguiente recibiría otra muñeca también vestida de novia pero más grande, más importante. Entonces mi abuelo le dijo "llevá ésta de vuelta y traé la otra" y así lo hizo. Recuerdo que tomamos el avión y yo llevaba esa muñeca conmigo.

No era una persona que jugara con los chicos como sí lo hacía mi abuela. Mi abuelo Carlos era un intelectual, bohemio, escritor, abogado, doctor en Filosofía y Letras, le sobraban títulos como le sobraba sabiduría. Guardo un recuerdo vago de él, yo tenía nueve años cuando lo vi por última vez. Tengo recuerdos muy puntuales, por ejemplo de estar con el abuelo en su estudio y que me hablara. No recuerdo las conversaciones, pero sí su voz, grave, profunda y cálida, rica en matices; he soñado incluso con él, recuerdo siempre en su estudio su voz en constante murmullo, desgranando frases a los oídos de una niña que escuchaba atentamente, los ojos fijos en sus dedos manchados de nicotina, por qué tenés los dedos amarillos abu, porque fumo mucho, por qué están manchados tus dientes abu, porque tomo mucho mate.

Era un hombre muy tímido; siempre que traía regalitos a la abuela, los traía escondidos.

Yo me relacioné con la obra de él desde muy chica; decía "Te voy a leer algo que escribí" y lo compartía conmigo. Yo me quedaba sentada ahí, en el estudio, él me leía algunos poemas y yo escuchaba, seguramente sin entender nada, pero él tenía esa manera de tratar a los chicos. Nunca te trataba como si fueras un chico; usaba el mismo vocabulario que si fueras un adulto y con un tono de voz normal, no te trataba como a un nenito chiquitito. Y en ese momento yo creía que era algo natural; toda mi infancia estuvo conectada a personas que me leían. Yo estaba sentada en la sillita alta y mi padre me leía, todo el mundo me leía, mi abuela me inventaba cuentos. Yo tendría ocho años y leía cuentos de ciencia ficción.

Yo tuve una infancia con mucho contacto con mis abuelos maternos; viví con ellos, desde que nací hasta los tres años. Mi papá es ingeniero y estaba construyendo en ese momento un edificio en Juncal y Junín. El pago era un departamento en ese edificio que construía, entonces había que esperar a que se terminara, y mientras tanto vivíamos los tres en Corrientes. Antes de mi nacimiento mis padres habían vivido en Belgrano pero yo nací en el Once, como corresponde. Recuerdo perfectamente cómo era la casa antes de la reforma.

La relación con mi abuelo era muy fluida y esto lo supe más que de mis propios recuerdos, a través de las cartas que él escribía a mi abuela en las que menciona constantemente: "Gabriela tuvo varicela y ahora la preparan para alemán porque perdió unos días en el colegio", así que estaba muy al tanto de todas mis actividades. Yo por supuesto había olvidado que tuve varicela y sólo recuperé ese hecho a través de esas cartas.

Yo me acuerdo corriendo por el largo pasillo que conectaba la casa con el estudio, y gritando "abu, abu, abu" entraba a su estudio buscándolo, y recuerdo que, incluso estando con gente dejaba lo que estaba haciendo para venir a alzarme y me llevaba con él.

Sus papeles y libros

NOEMÍ: Toda la casa era biblioteca y los libros estaban en doble fila porque no cabían, pero podías hablar de cualquier libro y él sabía exactamente dónde estaba, casi lo abría en la hoja que necesitábamos. Jugábamos al Scrabell y él siempre perdía porque no le interesaban los puntos sino hacer una palabra pensada, difícil; le decíamos "esa palabra no existe". "Andá y traé el diccionario" y por supuesto que existía. Marcaba los libros prolijísimo con lápiz, le encantaban los buenos libros, incluso bien encuadernados. La librería Fray Mocho le guardaba permanentemente libros recién llegados que él pedía, por ejemplo de teología. Yo de chica creía que Fray Mocho era un amigo suyo.

Donamos su biblioteca a la Hebraica cuando papá murió; cuando sucedió estábamos aquí mi hermano y yo. Después recuerdo a mamá contándome que venían de la Hebraica a hacer el inventario y trabajaban encerrados en el estudio. Estoy segura que mamá no miraba. ¡Qué libros había! Libros dedicados. A veces pienso cómo no nos llevamos una cantidad, pero cada uno vivía en otro lado, el transporte era carísimo y no teníamos casas para albergarlos. Recuerdo que mi hermano y yo le escribimos una carta a Koremblit y él vino personalmente, nos agradeció y dijo que se haría una biblioteca con su nombre, lo que no sucedió,

No tengo más cartas de esa prima a la que le escribió mi padre. Mamá era la que escribía. No hay cartas de ella ni más recientes. No sé qué se hizo de su correspondencia. No hay cartas de mi hermana ni de mi hermano. No sé qué pasó. Yo te mandé lo que tengo y tampoco creo que las haya llevado mi hermana, que estuvo muy pocas veces aquí. Mamá hizo una reforma en la casa cuando yo estaba en Madrid pero es imposible que mamá haya destruido la correspondencia. Pienso que mi hermano habrá guardado algunas cartas; sé que tenía algunas de Borges. Papá se carteaba con muchos escritores porque para eso era menos tímido. No hablaba mucho por teléfono pero sabía cosas de la gente por correspondencia. No sé que se habrán llevado los de la Hebraica. Nunca tuvimos un inventario de parte de ellos.

ANGE: La señora se fue y yo dije que haría la entrega de los libros, pero por el tráfico no se podía estacionar de día aquí en la calle Corrientes y la compañía dijo que tenían que trabajar de noche, hacer el inventario, las paredes estaban llenas. Eran canastos y canastos, imagínese que trabajaron dos noches para terminar y sacar todo. Los cajones de las bibliotecas, los cajones de los escritorios también. Nosotros tiramos pilas y pilas de expedientes, porque ellos no tenían interés. En esa escalera pusimos todo y llevamos todo abajo, afuera. En el estudio toda esa biblioteca no se tocó.

Ahora la biblioteca está vacía pero yo sola la limpiaba y él me decía: "Ay, Ange, el día que yo me muera, esto lo van a tirar, no le van a dar valor".

C.M.G. y sus padres, su hermana, sus suegros

NOEMÍ: Cuando murió su padre, a quien él quería muchísimo, estábamos veraneando en Córdoba pero papá se quedó en Buenos Aires. A poco de enterarnos de esa muerte vino él. Estábamos en la baranda y lo recuerdo viniendo por el camino. Ese dolor lo compartió con nosotros llorando muchísimo.

El idioma de mi abuelo era el español. Papá hablaba ídish con mamá para que no los entendiéramos. Más bien lo aprendía con mamá; mamá sí lo sabía muy bien, pero era la lengua secreta y él lo hablaba mucho con mis abuelos maternos. Mi abuelo paterno no creo que supiera una palabra de ídish porque había nacido en Palestina y era muy oriental en sus gustos, cosa que yo fui viendo después. Por ejemplo era muy hospitalario; era muy pobre pero cuando invitaba a alguien importante a su mesa grababa los cubiertos, para ese día, con las iniciales del visitante. Como era joyero, relojero, supongo que después lo quitaría. No eran muestras de nuevo rico, porque no lo era; creo que era muy oriental. Tenía amigos diputados y se sentía muy argentino.

El abuelo llegó acá, se casó y tuvo a mi padre y a una hermana que se llamaba Raquel. Otros lazos de familia no había.

Yo no recuerdo ninguna celebración de Pésaj en casa de sus padres y sí en la de mis abuelos maternos. A mi padre esas cosas le gustaban muchísimo pero no creo que las haya vivido en su casa de la infancia. El judaísmo de mis abuelos paternos era extraño. La Palestina de esa época era una mezcla árabe judía; entonces los judíos y los árabes convivían pacíficamente. No sé cómo fueron a parar allí, eso era en aquel entonces el Imperio Otomano.

Mi padre viajó con mi abuelo a Egipto a los nueve años porque casi toda la familia estaba allí, salvo en el último tiempo en que mi abuelo trabajaba para un taller en Jerusalén. Supongo que provendrían de Alemania (yo vi una calle Grünberg Strasse en Viena) pero se ve que estaban muy asentados.

Grünberg no suena muy sefardí pero mis conocimientos salen de esa carta a una prima que habla de algunos familiares casados con unos Salama de Alejandría. Había otro Greenberg que yo conocí en Estados

Unidos, que era tío de mi papá. Cuando el abuelo Grünberg vino acá lo hizo con un hermano que después se fue de aquí a los Estados Unidos. Cuando nosotros nos radicamos allí, recién casados, recibimos su llamado desde Chicago. Escribiendo a la Argentina se había enterado de que su sobrino, o sea mi padre, estaba visitándonos; llamó a todos los hoteles de Nueva York buscando un Grimberg y recién nos ubicó el día posterior a su partida, pero estaba tan decidido a buscar sus raíces que vino a conocernos. Era un hombrecito humilde, peluquero, que trajo toda una maleta llena de fotos y recuerdos, porque se había aislado completamente y nosotros éramos sus sobrinos nietos. Horas enteras estuvo mostrándonos las fotos, contándonos, pero a los 22 años y recién llegados, nos dio un poco de risa y no le dimos mucha trascendencia. Se había cambiado el apellido por Greenberg y, que yo sepa, era el único hermano del abuelo.

De la abuela paterna me acuerdo poquísimo, ella era una judía alemana; sólo recuerdo algunas visitas, la casa, íbamos ahí a comer. Tenían un negocito, se llamaba Joyería Grünberg, en Juramento, chiquitísima. Atrás había un patio y ahí hacía la comida de los sábados. Yo diría que él tenía sentido del humor; a todas las sirvientas las llamaba María. No era un hombre culto, porque no había tenido oportunidad, pero tenía una profunda pasión por la cultura, porque papá estudiara, por los amigos, hablaba muy bien español pero no se qué otra lengua hablaba ni en cuál hablaba con la abuela; con nosotros hablaba español.

Mi mamá nació en Moisesville. Su padre era un hombre culto; llegó aquí sin nada y se fueron al campo a trabajar, pero a los pocos años fue director de escuela de castellano. Mamá hizo una carrera universitaria; la mandaron de Santa Fe a Buenos Aires a estudiar farmacia. Siempre me acuerdo que mamá contaba que el día que se cortó la melena, mi abuelo estaba indignado porque eso era "de putas". Mamá era muy avanzada; no era común entonces que viniera una mujer a Buenos Aires a estudiar farmacia… E hizo toda la carrera.

Los abuelos hablaban de Argentina, de Rusia nunca. Una linda anécdota de la abuela materna. Ella se casó a los 15 años y vino a Moisesville, casada pero sin papeles –tengo la libreta de casamiento que les hizo papá acá–; vino con toda la familia de mi abuelo. Ella era en Europa la única de su familia y era el lazarillo de su padre que era ciego. Cuando mi abuelo le propuso casarse, aunque ella quería cómo iba a dejar solo a su padre ciego; entonces su padre le dijo que se fuera porque él había hablado con Dios y Él le había prometido que cuando ella se fuese él recuperaría la vista. Cuando ella llegó aquí, le escribieron de ahí que su padre veía… Sea como fuere, mi abuela materna, Sara Débora Lurie, y mi abuelo se asentaron en Moisesville y tuvieron cuatro hijos, todos se hicieron profesionales aquí. Era esa una generación fabulosa, los gauchos judíos.

El profesor de escuelas secundarias y el abogado

NOEMÍ: Papá enseñaba Castellano y Literatura en el Urquiza y en el San Martín, colegio al que fue mi hermano quien por supuesto jamás fue alumno suyo. Recuerdo un episodio que pinta a papá. Cierta vez mamá le dijo que un primo nuestro que era muy burro, Cachito, el típico bala perdida de la familia, iba a dar examen. "Y bueno… necesita aprobar, a ver si lo podés ayudar." Papá se puso furioso; una cuña, una coima, eran cosas que no se podían mencionar ante él. Y cuando Cachito entró a dar su examen, él se levantó y dijo que se tenía que ir porque conocía a esa persona. Y el chico no aprobó. En eso era terrible: ni una recomendación ni dárnosla a nosotros. Era sí generoso en el sentido de darle una mano a un amigo pero nunca una recomendación inmerecida o "influenciar" para un puesto.

Cuando era profesor venían a casa alumnos del colegio y le pedían que les abundara en el tema que les había dado. Era obvio que venían tratando de ganar una nota seguramente, pero él estaba fascinado de que se interesaran en el tema. Lo mismo sucedía con la gente con la que trabajaba profesionalmente.

Creo que cursó Derecho en La Plata; se graduó ahí después de casado. Ya era doctor en Filosofía y Letras y tuvo que hacer esa carrera para tener una salida económica; su único ingreso anterior eran esas dos cátedras. Después de recibido siguió con las cátedras hasta que lo echaron en la época de Perón, porque nunca llegaba a dar *La razón de mi vida*. Como no quería dar el libro de Eva Perón, su programa nunca llegaba. Cuando lo echaron hubo grandes manifestaciones a su favor. Fue muy lindo; el propio rector –era Ricardo Levene– tomó actitudes muy valientes.

El Derecho lo apasionaba, sobre todo los casos difíciles que no daban dinero; le gustaban si tenían algún intríngulis que había que desentrañar. Él no era un abogado, era un jurista.

Creo que como abogado ganaba los juicios porque sus presentaciones eran obras maestras de literatura; impresionaban la prolijidad y la lógica de sus argumentaciones.

Cuando aparecía un nuevo asunto, si no era algo especialmente interesante y que ofreciera un desafío, no le interesaba, le daba rabia, sentía que le quitaba su espacio. Cuando aparecía un divorcio amigaba a las parejas y yo creo que era por no llevar adelante el juicio. Tendría que haber sido rico.

El enamorado de las lenguas

NOEMÍ: Siempre decía "hay que leer los libros en su lengua original" y estudiaba continuamente lenguas para traducir. Tenía enormes dificultades con el hebreo porque lo comenzó a aprender de grande. Quiso que también nosotros lo estudiáramos y me quedaron algunas palabras en hebreo. Francés sabía perfectamente; inglés con dificultades. Cuando fue a Estados Unidos decía "Ojalá supiera más inglés". Tenía una enorme facilidad para las lenguas; siempre buscaba la raíz común, el idioma madre; de cualquier palabra en seguida se ponía a pensar "viene de…" Estudiaba esperanto y trató de enseñármelo.

Sólo era exigente con nosotros en cuanto a las malas palabras, cosa que heredé. "¿Por qué si el diccionario es tan rico hay que decir palabrotas?" Otro tema era el de pronunciar las eses. Recuerdo un episodio: antes de la operación a la que tuvo que someterse en 1967 papá sufrió un brote psicótico. Tenía terror a operarse, presentía que iba a morir a los 65 años y lo decía. Había visto morir a su padre en una operación y no quería entrar a la sala. Le dijeron que necesitaba una terapia de apoyo para enfrentar la operación y yo lo acompañé al psiquiatra. Cuando volvimos caminando tras la entrevista, papá me dijo mortificado: "¡Cómo quieren que respete a ese psiquiatra si no pronuncia las eses!" Él se expresaba muy bien y nos corregía, pero no era pesado ni exigente. Al hablar sus frases eran de antología, podías tomarlo textualmente; era muy respetuoso del idioma. Tenía pasión por las lenguas. Leía el diccionario continuamente. Y la Biblia.

Judaísmo, sionismo, masonería

NOEMÍ: Hacía profesión de su ateísmo pero siempre llevaba a cuestas una Biblia en castellano que yo heredé. Cuando se fue a operar, esa Biblia estaba en el sanatorio en su mesita. Tenía esas cosas extrañas. Su ateísmo era peculiar; por ejemplo en todos los aniversarios de la muerte de su padre encendía velas ante el retrato grande de mi abuelo que estaba sobre una mesa. No sé si será una costumbre judía, yo nunca la vi en otra parte.

Lo judío estaba y no estaba presente en casa. "Goi" era una palabra que no existía en el vocabulario de papá; sus amigos profesaban cualquier religión (o ninguna). No sé exactamente cuándo comenzó su interés por lo judío; yo no recuerdo a mi abuelo, su padre, profesar el judaísmo.

Mis abuelos maternos siempre celebraban el Seder de Pesaj; eran muy religiosos. A papá le encantaba; entonces un año en que coincidimos los hijos, los nietos y los que estaban acá él hizo Pesaj en casa. Me acuerdo que papá decía que era una pena que no viviéramos en Argentina para hacerlo como una costumbre. Cuando murieron mis abuelos maternos todo eso se perdió.

GABRIELA: Una celebración que ha permanecido en mi retina es la de un Pesaj; aún puedo ver la mesa en la casa de mis abuelos tendida con los manteles, la plata reluciente y los cristales y el aroma a comida judía flotando por los pasillos, el rostro ancho e inteligente de mi abuelo leyendo la Hagadá, los ojos de mi abuela mirándolo enamorada. La casa de mis abuelos estaba colmada en esos días, habían llegado de España la hermana de mi madre, Noemí, con su esposo y sus hijos. Seguramente fue en el año 65, cuando ellos vinieron de visita; yo nací en el 57. Eran días de fiesta y de celebración; mi primo Claude y yo tenemos la misma edad y yo tenía un ataque de celos porque la visita era objeto de grandes atenciones por parte de toda la familia y se me había ordenado expresamente que debía portarme sumamente bien con mis primos de España, algo que por cierto no me resultaba fácil. El caso es que durante la celebración de Pesaj los niños deben buscar la matzá que se oculta en algún lugar de la casa, y el primero en encontrarla tiene derecho a elegir un regalo. Mi primo y yo la encontramos al mismo tiempo aunque siempre insistiré que yo lo hallé primero y el abu sostuvo por cortesía que había empate. Claude pidió unos guantes de beisbol y yo una muñeca Mary Poppins con sombrerito y paraguas. Acababa de ver la película por segunda vez y estaba encantada con aquel personaje. Nunca olvidaré la caminata con mi abuelo recorriendo jugueterías y jugueterías; él ya estaba enfermo y lo disimulaba ante aquella chiquilla emperrada en conseguir su muñeca igualita al personaje de Julie Andrews. Yo iba de la mano de mi abuelo caminando por lo que entonces me parecían cientos de cuadras y finalmente encontramos la muñeca.

Cuando regresamos, mi abuela estaba muy preocupada. "Mira –le dijo mi abuelo–, una Mary Poppins con sombrerito y paraguas."

NOEMÍ: En casa sabíamos de los campos de concentración por noticias que nos llegaban. Recuerdo de esa época muchas reuniones en casa, muy secretas; habrá sido cuando llegaban nazis a la Argentina; incluso recuerdo a papá invitándonos a ver fotos de campos de concentración. Circulaba por casa mucho material, mucho teléfono, recuerdo mucho movimiento de periódicos, mucho secreto, mucho miedo. Se trabajaba muchísimo. Uno de los estudios estaba como vedado. Recuerdo cajas enteras de papel plateado para los aliados; lo vivimos mucho y yo tenía aquí la noción de una guerra muy cercana. Yo soy del 33, así que tendría 10 años. Los nazis y la guerra estaban aquí, y los sentíamos como un enemigo terrible y muy cercano.

Papá no pertenecía a ningún movimiento sionista. Cuando mi hermana Betty tenía unos 16 años se enamoró de un primo que vive en el kibutz Gaash y que era del Haschomer. Eso era muy a escondidas porque coincidió con el viaje de papá a Estados Unidos, a las Naciones Unidas, y mamá estaba acá sola. De golpe Betty empezó a usar las faldas azules de los integrantes del Haschomer y eso fue en casa como un balde de agua fría. Cuando llegó papá el drama no era el primo o el romance sino esa cosa completamente traída de los pelos. No recuerdo nada sionista en casa. No es que fuese antisionista en absoluto, pero creo que la poesía de papá que habla de Israel es una fantasía.

Tenía un arraigado sentido de lo que era justo. Pienso que el adoptar como suya la causa judía y enfrentarse con el antisemitismo era una faceta de esa lucha suya por la justicia. Si él hubiera sido homosexual o negro habría hecho lo mismo. Todas las injusticias lo conmovían horrores, hasta las lágrimas, como ese incidente con un amigo suyo. No recuerdo exactamente qué pasó pero sé que lo echaron de la Logia porque mostró un prejuicio y para mi papá fue espantoso. No era algo personal, no tenía que ver con él, pero que un amigo de toda la vida de pronto mostrara un prejuicio él lo tomaba como una afrenta personal. Es un recuerdo muy fuerte de mi infancia porque papá era un gran amigo de sus amigos.

Papá era miembro de una Logia masónica –ese era un tema secreto– que quedaba por la calle Sarmiento, cerca de casa; él iba caminando los jueves a la noche; era como ir al café. Mi hermano fue a la Logia un tiempo. Tenía allí muchos amigos; había gente de todas las condiciones –era una de las premisas–, gente que enseñaba en la universidad, intelectuales, muchos republicanos españoles, un carnicero cuyo hijo fue profesor de natación en la Hebraica, un zapatero. Y no era la relación de la persona culta que mira al pobre zapatero de arriba abajo; él le tenía un enorme respeto y se pasaba horas hablando de cómo el zapatero cosía; se maravillaba muchísimo con la gente. No puedo decir que la Logia fuese atea. Allí podían tener cualquier religión, ese era un tema que no interesaba en absoluto; el requisito primordial de la Logia era el ser liberal.

El final

NOEMÍ: Cuando murió Betty, en el año 1970, papá ya no vivía. Betty no estaba cuando murió papá, en 1968. Ella volvió para instalarse aquí y murió poco tiempo después en esta casa de la calle Corrientes. Yo creo que mi padre no lo hubiera podido soportar y creo que Betty no pudo soportar la muerte de papá. Por ese entonces Norberto, el marido de Betty, tenía una oportunidad de trabajar en Puerto Rico y papá les dijo que no perdieran esa oportunidad; que se tenían que ir, y que él sólo se operaría cuando ellos estuvieran afuera. Cuando papá se agravó ella no pudo venir porque recién se había ido, y cuando llegó, papá ya no estaba más. Él no conoció a los últimos nietos. Gabriela se fue de acá a los nueve años y no hay una foto de ella con los abuelos.

Cuando papá estaba enfermo Ange no entraba en su habitación, traía la comida pero le daba pena verlo.

ANGE: Le ponía la mesa para que almorzara ahí con la señora. Fue un año largo, hasta que se operó y después empezó ese tratamiento de rayos; lo mejoró pero después empezó a decaer.

NOEMÍ: Él no hablaba de morir, pero su premonición era que se moriría a los sesenta y cinco años, como el abuelo Manuel. Yo vine cuando él ya estaba mal, pero muy lúcido. "¿Por qué viniste y dejaste la familia?", me dijo. Hablaba y te reconocía pero estaba en otro lado; siempre estaba acuñando versos. Esa era otra cosa linda de papá, incluso cuando entrábamos nosotros él seguía rumiando versos. Estaba en su mundo; no es que te ignorara o no le gustara que te quedaras, pero que no le interrumpieras el pensamiento.

A su muerte cumplimos su voluntad y lo incineramos, y su hijo Daniel esparció sus cenizas en el Río de la Plata.

GABRIELA: Mi abuelo murió en su casa de la calle Corrientes. Recuerdo que su amigo Kandel salió de la habitación donde estaba el abuelo, se apoyó sobre el marco de la ventana que daba sobre el pasillo y gritó: "La puta que te parió, Dios".

Mi abuela se acordaba de su marido de manera permanente; no era que contara situaciones sino que comentaba, estando conmigo o con otras personas, a Carlos le gustaría tal cosa o hubiera dicho tal otra; lo tenía ahí. Ya de grande le pregunté cómo había hecho para seguir viviendo bien y disfrutando de la vida después de sufrir esas dos pérdidas terribles, la de su compañero y la de su hija. Ella me contestó que los tenía adentro, los había incorporado; era su forma de elaborar esas muertes. Hablaba con ellos; la recuerdo caminando por su casa de la calle Corrientes y hablándoles, comentando algo con ellos en voz alta. La gente podía pensar que estaba loca y no lo estaba. Yo lo he visto con mis propios ojos pero no me asombraba. La pérdida de mi abuelo tal vez no la haya tomado de sorpresa pero sí la de mi madre, y fueron tan seguidas que no tuvo tiempo de elaborar una que ya le vino la otra.

Mi abuela falleció en el año 1994, el 9 de noviembre, una fecha particular, el día del cumpleaños de mi madre. Fue una elección de ella. Esa mañana fue a visitarla una amiga y le dijo: "Hoy me voy a morir", y se murió a las cinco y pico de la tarde. Estaba enferma, había tenido una neumonía de la cual había salido bastante debilitada pero nunca perdió la lucidez. No quería depender de nadie. Caminó sola hasta los 91 años; los había cumplido el 17 de junio de ese mismo año y se lo festejamos en casa.

Mi abuela fue incinerada, mi mamá también, igual que mi abuelo. Las cenizas de todos fueron echadas al Río de la Plata, el cementerio familiar. Inició esta costumbre mi abuelo Carlos que pidió ser incinerado y su voluntad se respetó. Lo mismo se hizo con mi mamá y con mi abuela por supuesto. Mi abuela ni siquiera lo pidió, se daba por descontado. Lo que pidió fue que no hubiera funeral y no lo hubo.

NOEMÍ : Un último recuerdo: fue en los años setenta, durante una visita de Jorge Luis Borges a Madrid con el objeto de dictar unas clases magistrales en el Instituto de Cultura Hispánica de esa ciudad. Al finalizar una de sus clases, me abrí paso entre las personalidades de la Embajada argentina, periodistas, escritores y lectores que lo rodeaban, y me presente ante él como Noemí Grünberg, hija de Carlos M. Grünberg. Borges levanto su "mirada" emocionada, me tomó la mano y sin soltarla recitó, en su tono bajo y peculiar, todo "Judezno".

Se hizo un profundo silencio, por supuesto lleno de interrogantes hacia esa desconocida que había logrado acaparar la atención del maestro por tan largo tiempo. Borges siguió musitando otros poemas del *Mester de Judería* que él había prologado y luego, dirigiéndose al público, dijo: "Carlos M. Grünberg... Ya no quedan hombres así... ¡Qué gran poeta...!" Me tenía aún la mano y una cadencia de versos palpitaba en el aire...

El mejor y el mayor de todos nosotros
por César Tiempo*

Los tres escritores más escritores que tuvo –y tiene– el país, Alberto Gerchunoff, Jorge Luis Borges y Leonardo Castellani, no ocultaron su admiración por la poesía de Carlos M. Grünberg y dijeron y escribieron de ella y sobre ella todo lo bueno que puede decirse de una poesía que nació aquí cerca y hace tiempo y continúa siendo actual y universal y tan joven, valiente e imprudente como profunda y ardiente y, a veces, sonriente, a pesar de los muchos pesares que afligían al poeta y a su pueblo y a las gentes de su pueblo, mi pueblo también.

El padre Castellani, mucho más "padre maestro mágico" que el Verlaine del responso de Darío, no dice Grünberg, sino Grinberg y tiene razón, pero el mundo de la Diáspora está lleno de Grinbergs y, en cambio, Grünberg hubo uno sólo –uno sólo digno de ser destacado–, de modo que podemos extirparle la diéresis que pesa sobre la u y llamarle Grunberg como lo llamamos y llamaremos siempre [...].

Carlos M. Grünberg hizo su bachillerato en dos colegios nacionales: el Mariano Moreno y el Bernardino Rivadavia. En el Rivadavia fuimos compañeros y si bien era mayor que yo –siempre fue mayor que yo– compartíamos lecturas y pasiones y más de una vez nos encontrábamos

---

* *Mundo Israelita,* Buenos Aires, 9 de febrero de 1980, en *Lecturas para la pausa del sábado.* Con pequeñas variantes había aparecido ya en el mismo periódico y bajo el mismo rubro, el 9 de diciembre de 1977, con el título que encabeza esta nota, "El mejor y el mayor de todos nosotros".

en su casa de la calle Entre Ríos a cuyo frente funcionaba la vistosa relojería de su padre, un judío de Alejandría. Es curioso que el poeta norteamericano Louis Untermayer, el poeta argentino Gustavo Riccio, el filólogo argentino Ángel Rosemblat, que hoy reside en Caracas, y nuestro querido Grünberg que tituló a una de sus recopilaciones de poesía *El libro del tiempo* fueran hijos de relojeros. No en vano los relojes tienen tanto que ver con el tiempo y el tiempo con la poesía. *Laudator temporis acti...*

Refiriéndose a *Mester de Judería* Borges escribió que el libro de Carlos M. Grünberg como todos los libros importantes "lo es por múltiples razones. Lo es como documento legible y lúcido de «este aciago tiempo de lobos, tiempo de espadas» cuya bárbara sombra continental, quizá planetaria, vastamente se cierne sobre nosotros. Lo es por su precisión y por su fervor, por su álgebra y su fuego, por la armoniosa convivencia continua de la destreza métrica y de la delicada pasión. Lo es por el alma irónica y valerosa que declaran sus páginas".

Este combatiente de la raza de Isaías pudo adoptar no obstante como divisa el endecasílabo inmortal: *Amor mi mosse che mi fa parlare,* amor que se traduce en ternura para el hijo amenazado y para los hijos de sus hermanos y en sarcasmos y anútebas para los perseguidores y sus secuaces, que pretenden detener y aniquilar la vida del espíritu y la vida misma de los descendientes del pueblo que regaló al mundo al más grande de sus profetas, del pueblo cuyo símbolo es un arbusto ardiente que está en llamas pero nunca se consume. Grünberg cantó peleando y opinando, que fue el modo de cantar de nuestro rapsoda mayor a quien admiramos no sólo por cantar lo que cantó sino porque nunca pidió misericordia, ni comprometió su poesía en vanas acrobacias verbales, ni peleó a ciegas como los andábatas. El estilo de Grünberg que es en sí mismo una exhortación a la belleza justa de la forma, al rechazo de toda pompa vana, a la búsqueda y aprovechamiento de todo el poder evocador de la palabra, le bastó para decirnos todo lo que tenía que decir sin levantar la voz, sin despertarnos a gritos. Si a algún gran poeta recuerda es al francés André Spire cuya potencia para la invectiva, esa debilidad de las almas fuertes, era difícil de alcanzar. La misma respondía en Spire y en Grünberg a una reacción del sufrimiento y del sentimiento. Sufrimiento por los que sufren y sentimiento por los que sienten y no saben expresarse.

Estuvimos junto a él porque amábamos y admirábamos su coraje, porque lo supimos entero desde que sobre su corazón empezaron a repercutir los golpes de la injusticia, dejándole esa desazón que el rumor de la calle deja en los enfermos, pero sin desfallecer nunca, enseñándonos a no esperar de brazos cruzados la vuelta de los antiguos dioses sino a encarar la vida como una epopeya latente.

El 23 de noviembre de 1965, pronto harán diez años, en la casa de la calle México de la Sociedad Argentina de Escritores, celebramos la aparición de *Junto a un Río de Babel*. Al final de la presentación del libro, Grünberg leyó unas confidencias que merecen ser difundidas y que deploro no hayan sido impresas. En las mismas el poeta salía al paso de los que lo atacaban por la porfía de sus temas, por su noble beligerancia, por su odio tenaz, insaciable y creador contra los sicarios de la intolerancia, contra los abanderados del racismo. Es imposible resumir la claridad deslumbrante, el desborde de amargura y de esperanza, la hondura del examen, la clarividencia y el amor siempre renovado, intenso y sin literatura por el país que lo vio nacer, por las gentes del país y de la tierra ancestral. El anhelo de un mayor azul sobre la vida se trasluce en esas meditaciones escritas con fe en el advenimiento y la corroboración de la justicia en el mundo. Justicia para los suyos y justicia para los demás. "He reflexionado largamente –confesaba Grünberg entonces–, desde la niñez hasta la vejez, sobre mi condición y mi situación de judío, de miembro de una familia espiritual minoritaria, inmerso en un mundo poco inteligente y poco tierno, proclive a confundir lo diverso con lo adverso, lo opuesto con lo contrapuesto, lo extraño con lo extravagante, lo otro con lo hostil y con lo aborrecible. Cada humano es una galaxia de diferencias específicas, insertas en otros tantos géneros próximos: la más diferenciada de las diferencias, la diferencia por excelencia: en suma, por antonomasia la diferencia. A mí me ha tocado en suerte ser varón por el sexo, blanco por el color de la piel, judío por la estirpe, argentino, porteño, racionalista, librepensador, hispanohablante, versificador, etc. Mi diferencia es única, impar, irrepetible. Mis papilas digitales y por ende mis huellas dactiloscópicas ostentan la más absoluta singularidad. Y si la superficie de mi cuerpo ostenta eso, ¿podría no ostentarlo el fondo de mi alma? Mi diferencia es mi indigencia y es mi opulencia: mi indigencia porque es apenas el saldo y el suplemento de las demás diferencias; mi opulencia porque es tanto como su sumando y su complemento. La humanidad es una universalidad de diferencias, un gigantesco organismo de diferentes órganos conferentes, una omnímoda mano de diferentes dedos convergentes, una pánica orquesta de solitarios instrumentos solidarios, donde cada diferencia, cada órgano, cada dedo, cada instrumento cumple su función inmanente y cumple su función trascendente de cooperar. Ninguna diferencia sobra en esa universalidad y si algo falta en ella es las diferencias futuras. Cuando un hombre nace o exulta, todos los demás se enriquecen; cuando un hombre padece o muere todos los demás se empobrecen."

Yo digo a mi vez así como una ciudad, un pueblo, una calle se transforma en un mundo cuando amamos a uno de sus moradores, un poema vale por una eternidad si sabemos amar a su creador.

Porque amamos a Grünberg lo seguimos leyendo; porque admiramos su poesía y su valentía, porque el poeta fue un hombre humano, un hombre que creía en el servicio civil y en la dignidad de la conducta, un creador original que jugaba con el idioma pero que no jugaba para divertirse ni para divertir sino para aliviarse y aliviarnos de la vergüenza de habitar un mundo empeñado en la monstruosa voluptuosidad de hacer sufrir al prójimo, porque nos dejó un mensaje que no podemos desoír estamos aquí y estaremos largamente recordándolo y avivándolo como una hoguera que no debe extinguirse. Grünberg no fue un poeta del ghetto, fue un poeta del mundo. Redimió el carbón que le arrojaron pensando tiznarlo y lapidarlo convirtiéndolo en diamante.

Este diamante pertenece a la familia de las piedras preciosas con que el viejo Noé consteló el Arca para combatir las tinieblas, para que sus gentes pudieran verse y encontrarse y comprenderse y esperar a que terminara el Diluvio. Estoy seguro, todos estamos seguros, que el pájaro innumerable de la poesía de Grünberg cantará y volará largamente, a despecho de honderos y noblíes.

Carlos M. Grünberg
por Jorge Luis Borges*

La tarde, la tarde de Buenos Aires, ese Buenos Aires que él amó tanto, nos congrega para recordar a nuestro amigo, el gran poeta Carlos Grünberg. Digo deliberadamente gran poeta, ya que la palabra gran poeta connota cierta publicidad en el sentido más noble de la voz: recuerda el *os magna sonaturum* de los latinos; porque Grünberg fue raras veces un poeta íntimo; llegó a serlo al fin. Al principio Grünberg llegó a la poesía, lo sospecho, por el camino de la técnica. Grünberg sabía –tantos poetas lo olvidan– que el instrumento del poeta es el lenguaje, y Grünberg se dio al estudio de ese instrumento. Así en su obra vemos el influjo de otro gran poeta verbal: Lugones. Grünberg estudió la rima, la metáfora, la métrica; todo esto que tantos jóvenes poetas atolondradamente olvidan, y concibió sus primeros poemas modestamente, los concibió como ejercicios de estilo, como juegos de rima; pero el arte y la vida lo llevaron más lejos, empezó por aquellos libros –recuerdo *El libro del tiempo*– que son admirables ejercicios pero en los cuales no estaba todavía el Grünberg que nosotros queremos y recordamos; y luego recuerdo una tarde en que me llevó el manuscrito de su libro *Mester de Judería*, recuerdo la emoción con que lo leí y lo releí, recuerdo sobre todo un poema que de antemano parecería condenado a lo imposible, el poema

* Palabras pronunciadas por Jorge Luis Borges en el homenaje que rindió la Sociedad Hebraica Argentina a C.M.G. el 14 de septiembre de 1968. Este texto vio la luz en la revista *Davar* nº 119 de octubre-diciembre de 1968.

"Circuncisión" y el poema "Apellidos", y recuerdo también que yo he llevado ese poema por todo el mundo.

La última vez que tuve la felicidad y el honor de hablar con mi maestro, con nuestro maestro podríamos decir, Rafael Cansinos-Asséns, yo le recordé ese poema y Cansinos repitió algunos versos paladeándolos. Y sé que ahora en los Estados Unidos, en Cambridge, hay muchachos y muchachas americanos cuyas tardes están enriquecidas por la memoria de esos versos de Grünberg cuyo misionero yo fui.

En general, cuando se trata el tema judío, el tema de la nostalgia, el tema del éxodo, el tema de la diáspora, se lo hace con cierta blandura, se lo hace urgido por la nostalgia; en cambio, Grünberg llevó a ese tema una amargura y llevó también una suerte de coraje florido, de alegría, y ésta es la innovación de Grünberg. Cuando yo pienso en versos como: "...cortó el *sobejo* filisteo, para trocarte en un hebreo / cortó el *sobejo* porque eres Judá ben Sión y no Juan Pérez / ahora gimes, lloras, gritas / gritas con gritos israelitas / aún no sabes pobre crío / que cuesta sangre ser judío / que cuesta sangre como el arte / como si fuese un arte aparte / que cuesta sangre día a día / del nacimiento a la agonía / que cuesta sangre y que con ésta / va la primera que te cuesta".

O en aquellos otros versos de "Apellidos", llenos de admirable insolencia, aquellos de : "...La vida de los Pérez es más fácil / pero su eternidad es más difícil..."; ahí Grünberg ha llevado a la poesía judía un acento que si no me engaño —mis conocimientos son escasos— es un acento nuevo dentro de esa poesía que suele ser grave y triste; pero Grünberg llevó a esa poesía la amargura, la insolencia también y el coraje; y eso es una parte de la obra que nos ha legado. Y además de su obra personal, además de esos versos y de otros como el que acabamos de oír, admirablemente dichos; además de esos versos hay otro bien que debemos a Grünberg, y es éste: hasta ahora el nombre Heine era poco más entre nosotros que una suerte de superstición; se aceptaba a Heine porque se sabía que es un gran poeta, como se acepta a Píndaro acaso sin haberlo leído y sin conocerlo; es verdad que abundaban las traducciones españolas de Heine, pero en todas esas traducciones el gran Enrique Heine está calumniado, se lo traduce en prosa o se lo traduce en flojos versos románticos españoles; pero Grünberg hizo el milagro, Grünberg nos dio traducciones filológicamente justificables, científicamente justificables, y lo que es aún más, Grünberg trajo al idioma español la voz de Heine, la entonación de Heine, y creo que lo esencial en un poeta no son sus ideas, ni sus metáforas, ni sus conceptos, ni tampoco los argumentos; todo esto es auxiliar, todo esto es finalmente deleznable, lo importante es la voz del poeta, la respiración de sus versos, y esa respiración, esa voz de aquel Heine que murió en su *matrazen grub*, en París, hace más de un siglo, esa voz la trajo Grünberg. Quienes no sepan el alemán, quienes quieran oír la voz de Heine, directamente pueden hacerlo leyendo la traducción de las *Melodías Hebreas*. Pues bien, esa voz de Heine, esa entonación, esa respiración de Heine, eso está dado con una precisión admirable, con una precisión que no vacilo en llamar milagrosa en las versiones de Grünberg, de suerte que los motivos de nuestra gratitud son dos: Grünberg nos ha dado su obra, nos ha dado la amargura judía y cierta insolencia, cierto coraje judío también, que no estaba en la poesía de la estirpe –en todo caso en la que yo he podido alcanzar– y nos ha traído, también, para todos aquellos cuyo idioma es el español, nos ha traído la voz de Heine.

Yo he hablado de un gran poeta, creo que quizá la palabra *gran* es una palabra superflua porque lo importante no es ser un gran poeta, aunque Carlos M. Grünberg lo fue, lo importante es ser un poeta y esto Grünberg lo fue también. Yo leí esta tarde un admirable poema de Longfellow, "El cementerio judío de New Port", y ahí habla del "largo y misterioso éxodo de la muerte"; pues bien, creo que podemos refutar a Longfellow, la frase es bella pero Grünberg está con nosotros ahora, está en sus versos y está en su verde y vivo recuerdo en nuestra memoria.

Cuando murió William Morris muchos periodistas dijeron que Inglaterra había perdido y mucho y Bernard Shaw dijo: "A un hombre como Morris sólo podemos perderlo con nuestra muerte". Yo creo que la poesía, que el espíritu de Carlos Grünberg vive; si lo perdemos es por culpa nuestra. Tenemos que ser dignos de esa alta memoria, tenemos que ser dignos de ese gran poeta invisible, y casi desconocido, de ese poeta que recorría las calles de Buenos Aires y que no solía recordar que era, entre tantas otras cosas, un gran poeta. Por lo pronto, sé que nosotros nos encargaremos de tener viva su memoria; y, además, cuando nosotros hayamos pasado, cuando nosotros recorramos también el misterioso éxodo de la muerte, ahí estarán los versos de Grünberg viviendo en la memoria y en la boca de los hombres.

Prosa de Carlos M. Grünberg

Una composición *

El autor de esta composición es un niño aún, pues no cuenta todavía
dieciséis años, y es el principal protagonista del sonado incidente ocurrido en el colegio nacional "Mariano Moreno", en vísperas de las fiestas mayas. La prensa no ha vacilado en recoger, con impresionante
unanimidad la calumnia que el espíritu jesuítico de cierta gente ha
lanzado contra los dos mejores alumnos del colegio nombrado, quién
sabe con qué fines. En sus páginas se hizo eco de la mentira al referirse al incidente que, de ser cierto, tampoco merecía la trascendencia
que se le quiso dar. Comenzó por mistificar al decir que los dos alumnos son rusos, pues el autor del trabajo que se leerá a continuación no
sólo no lo es, sino que ni siquiera son de ese origen sus padres; en cuanto al otro, contaba meses cuando llegó al país. Siguió mintiendo al
afirmar que el incidente se produjo en clase, pues no hubo tal incidente, sino una delación de un alumno, y ha terminado faltando a
la verdad al atribuir a Grünberg una frase que no ha pronunciado.

En otro lugar del presente número nos ocupamos más amplia-
mente de este enojoso asunto, dando la versión exacta de lo que ha
sucedido**. Aquí reproducimos, por considerarla un documento, la
composición patriótica que pocos días antes de su expulsión del colegio entregó el alumno "ruso" Grünberg, haciendo constar, de paso,
que no era obligatorio hacerla. Por esta composición cuyo título debió ser, según indicaba el profesor, "El 25 de Mayo: su influencia
continental", y que Grünberg ha ampliado agregándole las pala-

---

* *Vida Nuestra*. Buenos Aires, año II, nº 12, junio de 1919, pp. 288-290.
** [Se reproduce aquí en páginas 45-47.]

bras: "y universal", se verá que si por algo peca ese pretendido ma-
ximalista "ruso" es por su acendrado amor a la patria.

Si es verdad que la civilización sigue una trayectoria occidental, como si estuviera integrada en una bola que rueda en esa dirección, es evidente que el suelo americano va a convertirse definitivamente en punto de referencia de todos los valores morales de nuestro planeta.

En efecto, las naciones del continente europeo han degenerado y caído lamentablemente. La última guerra ha sido, para el resto del mundo, la demostración decisiva de ese hundimiento moral y material. Y la paz que se está realizando es la prueba palpable de que aquellos pueblos han perdido su dignidad.

Quien hable de próximas reconstrucciones, juzga obtusamente, y yerra en consecuencia, porque si habrá reconstrucción, ella sólo será de los ídolos de las catedrales y de los muros de las cárceles, pero jamás de aquellos adelantos que, elaborados merced a la acción conjunta de los siglos y de los sacrificios humanos que los enrojecieron, eran orgullo legítimo de la humanidad.

La historia de Europa no es más que una sucesión de avances hacia la luz y retrocesos hacia la sombra. Europa ha malogrado siempre sus propios triunfos. El artista que hace obras perfectas y las destruye luego, no es artista. Europa, ayer madre de la civilización, es hoy madrastra de la misma.

Los pueblos americanos se encuentran ahora ante dos insinuaciones: un ejemplo y una misión. El ejemplo es detestable; la misión es sublime. El ejemplo debe ser rechazado, porque los pueblos americanos no son ni serán suicidas. La misión debe ser acatada con nobleza, porque dichos pueblos tienen conciencia de su vida y sabrán ennoblecerla. Ellos saben que el planeta está en peligro; ellos comprenden que los mundos son algo así como glóbulos rojos que trazan sus elipses gigantescas en el plasma azul del firmamento, para contribuir a la extraña vida de la carne del Infinito; ellos no quieren que nuestro glóbulo sea destruido por el microbio de la infamia; ellos van a constituirse en crisol sublime de todos los metales nobles del planeta; ellos ofrecerán su regazo a los hijos legítimos de la naturaleza...

De entre estos pueblos jóvenes hay cuatro que están particularmente preparados para llenar su fin. En el norte, Estados Unidos y Méjico; en el sud, Chile y la Argentina.

"Los Estados Unidos son potentes y grandes", ha dicho Rubén Darío. Y yo añado: sus pueblos tienen el pensamiento profundo, profundo como los océanos que los rodean. Entretanto, los pueblos del sud tienen el pensamiento alto, alto como los Andes, que son sus perpetuos inspiradores.

Mientras los pueblos de nuestro suelo conservan aún fresca su primera juventud, y tienen el orgullo de la nobleza y la obsesión del ideal, y no han claudicado todavía, y no han acechado aún, como leones sanguinarios, a fáciles gacelas, los pueblos del norte han contribuido ya a la dolorosa hecatombe europea, que no vacilarían en repetir en el resto de América si sus anhelos de expansión llegaran a requerirlo.

Además esos pueblos no se han unido como los nuestros. Los grandes legisladores han hecho allí una unión artificial. Han procedido como los horticultores, que truecan la coloración de una flor, pero de suerte que han logrado comunicar el nuevo carácter a toda la especie y hacerlo permanente... y en ello está la razón de su fuerza.

En cambio nuestra flor tiene el color que quiso darle la naturaleza. Y ya que ese pueblo se alza sobre el pedestal de esterlinas de su riqueza y quiere posesionarse de nuevos pedazos de tierra y de nuevas riquezas, nosotros seremos más nobles, y nos elevaremos sobre el pedestal de granito de nuestra cordillera, y será nuestro anhelo posesionarnos del azul del éter.

Nuestro país es más apto que el coloso del norte para llenar su misión americana. Y es más apto que Méjico, también, porque éste es un país desgraciado, que tarda y tardará mucho aún en estabilizar su equilibrio; pero, por lo menos, cuando se incorpore a sus hermanos del sud, aportará su caudal de nobleza propia, que efectivamente tiene, mitad por herencia española y mitad porque se habrá templado en el infortunio.

Así, pues, la esperanza del mundo está hoy, aunque no parezca a primera vista, en los dos países hermanos del sud: Chile y la Argentina.

No quiero disputarle al primero, porque sería injusto, la realidad de la misión que tanto como al nuestro le corresponde; pero no pasaré adelante sin decir que nos debe su independencia, la décima parte de su territorio y un pedazo de los Andes para retratarse en él. ¡Ojalá seamos suficientemente grandes para hacerle más favores todavía!

Nuestro país está particularmente preparado para llenar su fin. Lo atestiguan los dos hechos más notables de su historia: la revolución del 25 de mayo de 1810 y la constitución del 25 de mayo de 1853.

Descontando el aciago período de nuestra historia en que aparece en ella el nombre de Rosas, puede decirse que entre uno y otro acontecimiento mediaron tan sólo 17 años.

El mismo carácter de nuestra revolución lo atestigua como tal a los ojos del mundo, y justifica el nacimiento de una nueva y gloriosa nación que es legada por una pléyade de hombres probos a sus descendientes, para que éstos la hagan más nueva y gloriosa todavía.

No quiero insistir sobre hechos históricos que, por ser harto conocidos y bastante bien dilucidados a la luz de la crítica histórica, no me conducirían a nada nuevo; máxime cuando que esta esclavitud del pensamiento sólo conduce al tan decantado estribillo del patriotismo (bien o mal entendido: generalmente mal), y yo prefiero llevarlo debajo de la solapa y en la punta de la pluma y no encima de aquélla y en la punta de la lengua.

He dicho que nuestro país es el más preparado para contribuir a la grandeza del planeta; pero no he dicho que lo será.

Si nuestros antepasados nos han hecho un precioso legado, es bueno recordar que no hay que dormirse sobre los laureles.

Si nuestra revolución de mayo no sólo dio nacimiento a una nación, sino a dos más, y hasta, puede decirse, a todas las americanas (porque el ejemplo es estímulo que lleva a la emulación, y ésta factor determinante de triunfo), enhorabuena.

Si nuestra revolución es causa de orgullo, sea nuestro orgullo enhorabuena; pero no olvidemos que el orgullo es planta que debe ser regada continuamente para que no muera, y que a veces el orgullo no muere, pero es injusto, como la vida de una planta parásita.

Si nuestra constitución es el campo en que desarrollaremos nuestras actividades para asombrar al mundo con nuestras proezas, enhorabuena. Yo creo que cuando nuestros constituyentes nos legaron aquel admirable sistema, nos armaron caballeros, lo que importaba creernos, a semejanza de ellos, dignos Quijotes del ideal de patria; y no olvidemos que, según reza la historia de aquel ilustre caballero, jamás llegó su locura hasta el extremo de armarlo tal a Sancho Panza...

Y si es que jamás seremos Sanchos, enhorabuena.

¡Trabajemos, pues! El mundo es un gran yunque armonioso y es muy grato golpearlo con nuestros fuertes martillos al compás de las notas de nuestro himno.

El ideal a que todos debemos propender es el de ser tan virtuosos que la vida de cada argentino esté consignada en nuestra constitución y que la razón de ser de nuestra existencia lo esté en nuestra revolución.

¡Patria! Yo te deseo grande; más grande que las tierras y los mares, y los astros y los espacios.

Y quisiera que, parafraseando al más glorioso de tus hijos poetas, a Leopoldo Lugones, en un futuro no lejano los dioses y los hombres

Te evoquen cincelada por la luna
en plata colosal de nubes blancas.

Carta a Miriam Teper Reinharz

Carta que, traducida al hebreo, envió C.M.G. a finales de 1949 a una prima radicada en Israel. Encontrada entre sus papeles, esta carta constituye un invalorable testimonio autobiográfico que se publica por primera vez.

Yo también lo recuerdo todo como si todo hubiese ocurrido ayer. Fue a mediados del año 1913. Yo había nacido en 1903 y tenía nueve años y medio. Mi padre hizo un largo viaje y me llevó consigo. Siempre había soñado volver a su país natal, Palestina, para visitar a sus padres. Su padre, Wolff Alter Grünberg, nuestro abuelo, había muerto un año antes, en 1912, en Egipto, en Alejandría, en casa de su hermano Moisés, tío nuestro. El principal objeto de su viaje era, pues, visitar a su madre, Lea Levin de Grünberg, nuestra abuela. Conocí a nuestra abuela en Alejandría, en casa de nuestro tío Moisés. Jamás olvidaré la escena del reencuentro entre nuestra abuela y mi padre, ni tampoco los mimos que nuestra abuela me prodigaba. En la misma ciudad conocí a la mujer de nuestro tío Moisés, Farha Salame de Grünberg, a su hija primogénita, Lusa, a su suegro, Salame, a sus demás parientes políticos, a nuestro tío Jacobo, a su mujer, a sus hijos e incluso la tumba de nuestro abuelo, al pie de la cual mi padre recogió un puñado de arena que guardó siempre para que a su muerte fuese sepultado con él. En El Cairo conocí a Jacobo Neumann, que había sido el maestro de mi padre en el arte de componer relojes. Mi padre y yo pasamos después a Palestina y visitamos Jafa, Rischon-le-Zion, Petah-Tikvah y Jerusalén. Me acuerdo perfectamente de Jafa y de nuestro tío Rubén. Me acuerdo perfectamente de Rischon-le-Zion, de sus pocas y pobres casas, de sus calles arenosas, de tus padres, de ti, de tu hermana, de tu hermano, de nuestras conversaciones en ídisch, nuestros juegos infantiles y hasta del fastidio que me causaba el no entender las conversaciones en árabe que tú y tus hermanos sosteníais con los demás chicos de la aldea. Me acuerdo perfectamente de Jerusalén, de sus calles viejas, estrechas y empinadas, de sus judíos flacos, barbudos y patilludos, del Muro de los Lamentos, del Santo Sepulcro, de la Mezquita de Omar, de la esquina donde mi padre había tenido establecido en 1894 su taller de compostura de relojes y de la casa donde nuestros abuelos habían vivido y donde nuestra abuela seguía viviendo. En esta casa volví a encontrarme con nuestra abuela. Delante de esta casa había un jardín con árboles añosos. Cada uno de estos árboles tenía, como un ser humano, un nombre propio, puesto por nuestro abuelo. Nuestra abuela me mostró las habitaciones de la casa y sobre todo la que había sido el escritorio de nuestro abuelo. En esta habitación nuestra abuela me regaló el pisapapeles que nuestro abuelo había usado. Era un grueso cristal verde del tamaño y de la forma de una teja. Lo conservo y lo uso desde entonces. ¿Qué ha sido de aquella casa? Me acuerdo de mil pormenores más, pero los callo por ahora para no alargar esta carta demasiado.

Nuestra familia es una de las más antiguas familias de Palestina. Nuestros antepasados emigraron a Palestina mucho antes de la época de los biluím. No recuerdo si fue el padre de nuestro abuelo o el abuelo de nuestro abuelo quien, junto con los suyos, abandonó la ciudad de Odesa (Rusia), donde él y sus antepasados habían nacido y vivido, y se asentó en Palestina. Nuestro abuelo nació en 1850. Creo que nació en Jerusalén. Al nacer recibió el nombre de Wolff, pero pocos años después enfermó tan gravemente que estuvo en trance de muerte y para salvarlo mediante el supersticioso procedimiento que solía emplearse en casos semejantes, le pusieron el nuevo nombre de Alter. Nuestro abuelo fue un hombre enérgico y emprendedor: fue, ya en su tiempo, un pionero. Habiendo concebido el propósito de establecer en Palestina una fábrica de tejas, se separó momentáneamente de su mujer y de sus primeros hijos, se trasladó a Francia, cursó estudios especiales en la Escuela de Artes y Oficios de París, regresó y en 1880 fundó, junto con Jehiel Michael Pines y con Josué Yellin, aquella fábrica, que al fin, en 1882, resultó un fracaso desastroso, pues las tejas que salían de ella, confeccionadas con la tierra de Palestina, tierra de mala calidad, eran quebradizas. Nuestro abuelo no se rehízo nunca de este golpe. Este episodio, que conozco por los relatos de mi padre, consta, además, en el libro titulado "Zijronot Eretz Israel", que Abraham Iaari publicó y el Departamento de Asuntos de la Juventud de la Histadrut Hazioní editó en Jerusalén en 1947. Se habla de nuestro abuelo en las páginas 385 y 403 del tomo I de este libro. Nuestro abuelo fue un hombre muy inteligente y muy querido. Muchos acudían a él en consulta y en demanda de consejo. Tuvo numerosos amigos estrechos. Escribía hermosamente, con depurado gusto literario, y sus cartas eran un regalo para quienes las recibían. Conservo cinco de las cartas que dirigió a mi padre. La afición artística de nuestro abuelo pasó, entre otros, a mi padre, que escribió versos en su juventud, que solía concretar su pensamiento, con seguro instinto retórico, en antítesis vigorosas, y que estimuló en mí la misma afición; a nuestro tío Moisés, que escribía con propiedad y con precisión notables, aunque en períodos que pecaban de demasiado largos; en fin, a mí, que, según verás más adelante, he publicado algunos libros. Nuestro abuelo estuvo dotado de una antigua severidad patriarcal, algo oriental, y ejerció sobre sus hijos un ascendente enorme, una autoridad avasalladora, y sus hijos le profesaban un cariño mezclado de respeto y quizá un respeto mezclado de temor. Mi padre lo adoraba, lo mismo que a nuestra abuela, y sostuvo a ambos mientras vivieron y con lo más que pudo. Cada vez que un hijo de nuestro abuelo, corrido por la miseria, emigraba en busca de mejores horizontes, nuestro abuelo lo acompañaba hasta la costa, cuando no, si podía, hasta sobre el barco, e increpaba al Mar Mediterráneo, que le arrebataba, uno tras otro, a todos sus hijos. Nuestro abuelo murió prematuramente, a los 62 años de edad, en 1912, en Alejandría en casa de nuestro tío Moisés, asfixiado por un acceso de asma, que era la enfermedad que padecía. Recuerdo perfectamente el triste domingo del año 1912 en que mi padre recibió la carta de nuestro tío Moisés que le trajo la terrible noticia de la muerte de nuestro abuelo. Nuestro tío Moisés envió después a mi padre, como recuerdo de nuestro abuelo, el reloj de bolsillo de nuestro abuelo, que mi padre le había regalado. Conservo ese reloj. También conservo una fotografía de nuestro abuelo y otra de nuestra abuela. Me imaginaba que nuestra abuela había muerto, pero ahora que sé por ti que ha muerto efectivamente hace seis años, ahora que estoy seguro de que ha muerto, siento más su muerte.

Nuestros abuelos tuvieron siete hijos, dos mujeres y cinco varones: Perla, Mardoqueo (mi padre), Jacobo, Moisés, Pesl o Peschke (tu madre), Rubén y Méyer. Perla emigró a los Estados Unidos de Norteamérica y se radicó en Chicago, donde murió a edad avanzada, dejando hijos, nietos y creo que bisnietos. Mardoqueo, mi padre, nació en Jafa el 25 de noviembre de 1875. De niño fue alumno y pensionista de Eliezer Ben-Iehuda. Desde abril de 1889 hasta el 15 de mayo de 1893, o sea desde los trece años y medio hasta los diecisiete años y medio, aprendió en Jafa, bajo la dirección de Jacobo Neumann, el oficio de relojero. En 1894 estableció en Jerusalén su propio taller de compostura de relojes. Después emigró sucesivamente a Túnez, donde residió tres años (1895-1897), a Marsella, donde residió algunos meses, y a Buenos Aires (febrero de 1898), donde se casó con mi madre, Judit Krauthamer (5 de noviembre de 1902), tuvo dos hijos, yo y mi hermana, Rebeca Raquel, nacida el 9 de febrero de 1908, y residió hasta el fin de sus días. Jacobo, su mujer y sus hijos, a quienes conocí en 1913 en Alejandría, emigraron después a los Estados Unidos de Norte América y se radicaron en Chicago. Moisés, a quien también conocí en 1913 en Alejandría, recibió una educación esmerada. Estudió bajo los auspicios de la Alliance Israélite Universelle, que lo protegió especialmente por sus relevantes condiciones. Frecuentó por un tiempo la escuela agrícola de Mikvé-Israel. Cursó en París estudios rabínicos, pero no alcanzó a terminarlos: orgulloso y altanero por naturaleza, ligero y arrebatado por su juventud y por su inexperiencia, se indispuso con sus superiores. La brusca interrupción de su carrera rabínica ocasionó un gran dolor a nuestro abuelo. Ambicioso y codicioso, se casó, desoyendo los consejos y contrariando la voluntad de nuestro abuelo, con una sefardí fea y mayor que él, viuda y con hijos de su primer matrimonio, cuyo padre era banquero y uno de los judíos más ricos de Alejandría. Cuando yo lo conocí, vivía en un palacio como los que se ven en las películas cinematográficas. Creo que el palacio era de su suegro. Posteriormente emprendió no sé qué negocios propios en que le fue tan mal que quebró y, dejando a su mujer y a sus hijos, se vino, para rehacer su fortuna, a Buenos Aires, adonde llegó hacia el año 1922. Él y yo nos hicimos grandes amigos. Era un hombre culto, fino y delicado. No pudo realizar su sueño de rehacer su fortuna, de regresar triunfante a Alejandría y de volver a ver a Lusa, su hija primogénita, a la cual amaba desesperadamente y a la cual escribía cartas capaces de enternecer a las piedras. Murió aquí el 18 de octubre de 1932, en la mayor miseria y completamente olvidado por su mujer y por sus hijos, incluso por su Lusa tan amada. Tu madre fue el único hijo de nuestros abuelos que no emigró de Palestina. Conservo dos fotografías de ella, una en que está de pie, hermosa, con el cabello suelto, largo hasta más allá de la cintura, y otra en que se la ve con tu padre y con sus tres hijos, éstos muy pequeños aún. Siento de veras que haya fallecido hace dos años. Rubén, a quien conocí en Jafa en 1913, había estado en Buenos Aires hacia 1903 y volvió a Buenos Aires, ya casado y con una hija, hacia 1925. Posteriormente se trasladó al interior del país, y desde entonces no he sabido nada de él. Méyer residió en Buenos Aires desde mi primera infancia hasta 1913 y en este año se trasladó a los Estados Unidos de Norte América y se radicó en Chicago donde se casó y tuvo varios hijos. De ti he sabido siempre que eras la gran compañera de nuestra abuela, que le escribías todas las cartas que ella mandaba, especialmente las que le mandaba a mi padre, cuatro de la cuales conservo, que le leías todas las cartas que ella recibía, especialmente las que recibía de mi padre, y que mi padre te quería mucho y estaba muy orgulloso de tu bondad y de tu belleza. Conservo seis fotografías tuyas: una de cuando eras muy pequeña, otra en que tú estás sentada y tu hermana está de pie a tu lado, otra en que ya eres señorita, otra del año 1927, en que se os ve a ti y a tu esposo recién casados, otra tuya, fechada el 30 de marzo de 1939, y otra tuya y de tu esposo, fechada el 9 de julio de 1939. También conservo una fotografía de tu hermana, en que se la ve señorita, con el cabello suelto.

Como ves, sé muchas cosas de la familia, muchas más que las que tú me cuentas y muchas más que las que eran necesarias para que yo no sospechase que tu carta encerraba algún engaño. Sé muchas otras cosas que yo mismo no te he contado aún y que también callo por ahora para no alargar esta carta demasiado. Sé todo eso en parte por mis propios recuerdos y en buena parte por los relatos de mi padre. Mi padre era un narrador ameno y entretenido, tierno y conmovedor, gracioso y divertido. Sobre todo tierno y conmovedor. Como hablaba con el corazón, hablaba al corazón. Y lo que más le gustaba relatar eran recuerdos de su pasado y del de su familia. Yo he sorbido ansiosamente sus relatos en todas las edades de mi vida. Gracias a sus relatos, su vida está confundida con la mía, somos él y yo quienes vivimos en mí y yo me he sentido siempre lo que soy: un hijo de sabra[72], un judío no sólo por la historia sino también por la geografía, no sólo por el espíritu sino también por la materia.

Los últimos años de mi padre fueron muy penosos. Había prosperado como relojero y en particular como joyero y había llegado a amasar una fortuna bastante considerable, pero en la noche del 26 al 27 de julio de 1934 fue totalmente despojado por hábiles ladrones de cuantas alhajas valiosas había en su comercio y pasó sin transición de la riqueza a la pobreza. Este contratiempo fue, sin embargo, incapaz de mellar la entereza de carácter de mis padres. Eran estoicos, sencillos, sobrios, sabios, y siguieron trabajando sin amargura, únicamente preocupados por ganarse el sustento diario —de ningún modo por reconstruir su patrimonio— y seguros de que el sustento diario no les faltaría jamás. Lo que sí minó la fortaleza de mi padre fue la muerte de mi madre, ocurrida el 18 de julio de 1938. Mi pobre madre murió prematuramente, a los 60 años de edad. También murió tontamente. Su apendicitis fue diagnosticada demasiado tarde. La operaron también demasiado tarde. Murió de peritonitis. Había nacido en Kolomea (Galitzia) el 25 de diciembre de 1877. Había adquirido en su juventud una empeñosa y simpática cultura en lengua y literatura alemanas. Había sido una mujer inteligente y buena. Su hacendosa energía, que estimulaba a mi propio padre, y su abnegada servicialidad, que se derramaba en generosos sacrificios, habían sido los rasgos más espontáneos y más notables de su precioso carácter. La muerte de mi madre afectó a mi padre profundamente. A la desgracia de la viudez de mi padre vino a agregarse la desgracia de la viudez de su hija y de la orfandad de su nieta. Mi hermana, Rebeca Raquel, a quien mi padre llamaba, afectivamente, Nena, que significa, en español, niña, estaba casada con el Dr. José Svibel, médico cirujano, y tenía, de su matrimonio, una hija, Egla, a quien mi padre llamaba Nenita, que significa, en español, niña pequeña. El Dr. Svibel murió inesperada y repentinamente, de un síncope cardíaco que nada hacía prever, el 29 de enero de 1941. Tenía apenas 42 años de edad. También la muerte de este hombre, a quien mi padre quería como a un hijo, afectó a mi padre profundamente. La tercera y última desdicha de mi padre consistió en una enfermedad. Contrajo una endoarteritis obliterante. Las arterias de los pies se le contraían. La sangre no le circulaba por ellas. Casi no podía caminar. Padecía dolores intensísimos, terribles. Los médicos le aconsejaron una simpaticectomía, la extirpación de un ganglio del gran simpático. Fue operado el 30 de diciembre de 1941. Yo asistí a la operación. Pero su corazón, ya debilitado y resentido por tantos sinsabores, no pudo resistir el rudo impacto de la delicada operación, ni siquiera el mero impacto de la anestesia preoperatoria. Murió al día siguiente, el 31 de diciembre de 1941, a las 10.50 de la noche. Murió en mis brazos. Tenía 66 años de edad. Nuestra abuela ha vivido 22 años más que él y ha muerto dos años después de él. La muerte de mi madre, la muerte del Dr. Svibel y la enfermedad de mi padre estrecharon más aún la íntima amistad que siempre había existido entre mi padre y yo. Mi padre me llamaba frecuentemente "mi amigo Carlos". Nuestra unidad se hizo perfecta durante sus últimos años. La suerte me permitió, en esta su etapa final, mostrarle todo mi cariño y toda mi comprensión y demostrarle hasta qué punto yo era el heredero de su espíritu y hasta qué punto él –que tanto ansiaba seguir viviendo– seguiría viviendo en mí. La suerte me permitió brindarle este consuelo, y ello constituye, a su vez, un consuelo para mí. Mi padre fue un hombre nada vulgar. No era culto, pero tenía un gran respeto por la cultura y un gran instinto cultural. No era un erudito, pero era un sabio. Profesaba intensamente el concepto de la primacía de lo espiritual sobre lo material y hallaba por sí mismo las más sólidas verdades vitales y morales. Era lúcidamente inteligente y, sin perjuicio de su pudor varonil, femeninamente sensible. Tengo la impresión de que, aunque era tan inteligente, era, sobre todo, sensible y de que su inteligencia era una forma de su sensibilidad. Fue el primero de mis maestros en el orden de la cronología y el primero de mis maestros en el orden de la jerarquía. Le debo la mar de enseñanzas. Mencionaré una sola: la de la dignidad judía. Hace once años que perdí a mi madre y pronto hará ocho años que perdí a mi padre; pero, a pesar del tiempo transcurrido, a pesar de mi edad y a pesar del amor recíproco que me une con mi mujer y con mis hijos, el recuerdo de mis padres me acompaña constantemente, todavía suelo llorar al evocarlos y todos los días paladeo la amargura de mi soledad de huérfano. Mi hermana ha vuelto a casarse.

El 21 de mayo de 1940, mi padre envió a nuestra abuela una carta, dirigida, como de costumbre, a tu esposo, y, dentro de la carta, unas esterlinas en papel. Debido a la segunda guerra mundial, que se había desencadenado un año antes, la carta fue devuelta por la censura. Conservo la carta y las esterlinas. Mi padre perdió desde entonces todo contacto con nuestra abuela. Muerto mi padre y terminada la guerra, concebí la esperanza de recibir carta tuya, ora dirigida a mi padre, ora dirigida a mí mismo. En estos últimos años, pregunté infructuosamente por mi prima Miriam Teper de Reinharz, cuyo esposo, Wolff Reinharz, había sido funcionario del Engineering Branch de Jerusalén en la época del Mandato, a todos los judíos de Israel que vinieron a Buenos Aires y a quienes conocí: a Rut Kliger, a Lilly Roth, a Jacob Tsur, a Herman Hollander, al coronel David Sealtiel. Hace meses mi amigo José Mendelson, que es uno de los mejores periodistas en ídisch de Buenos Aires, hizo un corto viaje por Israel, y le encomendé, también infructuosamente, tu búsqueda. A pesar de todo, estaba seguro de recibir carta tuya. Tu carta del 19 de agosto próximo pasado me produjo, pues, gran emoción, pero no sorpresa. Doy gracias a Dios por haber enviado a la Dra. Fridman a tu casa, por haberte inspirado la idea de escribirme por su intermedio y por haber preservado vuestras vidas —la tuya, la de tu esposo, la de tu hijita— durante estos años terribles. Tu carta demuestra una vez más algo que siempre me conmueve profundamente: que vosotros, los generosos y abnegados judíos de Israel, sois capaces de hallar, en medio de vuestras tribulaciones, tiempo y ánimo suficientes para interesaros y preocuparos por vuestros parientes y por vuestros correligionarios del extranjero. Yo te confieso que me siento orgulloso de que mi prima Miriam Reinharz sea un símbolo de los judíos de Israel.

Hace 36 años que tú y yo no nos vemos ni nos escribimos. Por otra parte ignoramos casi todo el uno del otro. Ahora te escribiré, por consiguiente, algo acerca de mí. Nací en Buenos Aires el 29 de agosto de 1903. Mi nombre es Carlos Moisés Grünberg. Carlos es una mala españolización de Kalman, como Kalman no es sino la forma ídisch del nombre francés Clément, que a su vez corresponde a la palabra hebrea Rajmán. Me llamo Kalman en ídisch y Carlos en español en recuerdo de mi otro abuelo, de mi abuelo materno, del padre de mi madre, Kalman Krauthamer, que murió meses antes de que yo naciera. De niño me llamaban Moisés: de más grande empezaron a llamarme Carlos. En el año 1913 viajé con mi padre por Italia, Egipto, Palestina, Francia, Suiza, Austria y Galitzia. En Francia, en París, un oculista famoso, el Dr. Borsch, me operó del ojo izquierdo y me corrigió el estrabismo que yo había heredado indirectamente de nuestra abuela. En Galitzia, en Kolomea, conocí a mi otra abuela, a mi abuela materna, a la madre de mi madre, Beile Wítiles de Krauthamer, que murió pocos años después, a fines de la primera guerra mundial, y a otros parientes de mi madre. En 1926 terminé mis estudios de Filosofía y Letras y me recibí de profesor. El 6 de septiembre de 1928 me casé con Adina Schereschevsky. Mi mujer es muy inteligente y sin embargo todavía más buena que inteligente. Es mi gran compañera. Mi matrimonio con ella ha sido completamente feliz. Posee el título de farmacéutica, pero no ejerce su profesión. Sabe hablar y escribir en ídisch. Estudia hebreo (yo también lo estudio). Sus padres, Schmariohu Schereschevsky y Sara Débora Lurie de Schereschevsky, son dos judíos ortodoxos, dotados de una pureza y de una nobleza ejemplares, dignas de la mejor tradición familiar judía. Mi suegro posee una gran cultura en lengua y literatura hebreas clásicas. Mis suegros me quieren como a un hijo y yo los quiero como a padres. Los dos sueñan con radicarse en Israel, y yo siempre les aseguro que realizarán su sueño junto conmigo. El 9 de noviembre de 1929 nació mi hija mayor, Elischeva, que pronto cumplirá 20 años de edad, posee sólidos conocimientos de inglés y cursa con entusiasmo el primer año de la Facultad de Arquitectura. En 1930 terminé mis estudios de Derecho y me recibí de abogado. El 23 de noviembre de 1933 nacieron mis dos hijos mellizos, Daniel y Noemí, que pronto cumplirán 16 años de edad, cursan el tercer año del gimnasio y hacen estudios especiales de inglés. Daniel estudia además hebreo y aspira a ser ingeniero. Noemí estudia además con fervor el piano. Desde 1934, y en virtud de mi título de profesor, soy catedrático de

Gramática española y de Historia de las literaturas española, hispanoamericana y argentina en dos gimnasios oficiales. He publicado dos libros de Derecho y otros trabajos jurídicos y –como también soy poeta– tres libros de versos, gracias a los cuales figuro en las antologías de la poesía argentina. Mi mejor libro de versos es el tercero, que contiene 60 composiciones, todas inspiradas en temas judíos, y apareció en 1940. Creo que la biblioteca de la Universidad Hebrea de Jerusalén posee un ejemplar de dicho libro. En el año 1947 ocurrió en mi vida un acontecimiento trascendental. La Agencia Judía para Palestina se preparaba para participar en las segundas sesiones ordinarias de la Asamblea General de las Naciones Unidas, de las cuales saldría el llamado plan de partición de Palestina. El Dr. Jacob Robinson, que entonces era el consejero jurídico de la Agencia y que hoy es el consejero jurídico y uno de los miembros de la delegación de Israel ante las Naciones Unidas, solicitó a la Agencia que le designase como colaborador a un abogado judío latinoamericano. Varios miembros de la Agencia propusieron sendos candidatos. Mi compatriota y viejo e íntimo amigo Moisés Aarón Toff, que entonces era el Director del Departamento Latinoamericano de la Agencia y que hoy es el Director de la División Latinoamericana del Ministerio de Relaciones Exteriores de Israel y uno de los miembros de la delegación de Israel ante las Naciones Unidas, me propuso, como candidato, a mí. La suerte me favoreció. Yo figuraba, por ejemplo, en la página 111 del tomo V de "The Universal Jewish Encyclopedia", Nueva York, 1941, y era el menos desconocido de los candidatos propuestos. Invitado, pues, por la Agencia, me trasladé a Nueva York. Trabajé en la Agencia, en Nueva York, desde principios de octubre de 1947 hasta fines de enero de 1948. Conocí al Dr. Robinson, a Moshé Sharet (entonces Shertok), a Abba Even (entonces Aubrey Eban), a Eliahu Elath (entonces Epstein), a Arthur Lourie, a Abba Hillel Silver, a Nahum Goldmann y a muchos otros. Asistí en Lake Success a las sesiones anteriores a la del 29 de noviembre de 1947 y en Flushing Meadows a la del 29 de noviembre de 1947. Dictado el plan de partición, lo sistematicé, transformándolo en un código de 454 artículos, y la Agencia publicó y editó mi código en un libro que apareció en Nueva York en marzo de 1948. Posteriormente, cuando la Agencia se preparaba para participar en las segundas sesiones extraordinarias de la Asamblea General de las Naciones Unidas, en las cuales se procuraría inútilmente convertir la partición en fideicomiso, la Agencia me invitó de nuevo a colaborar con el Dr. Robinson. Volví a Nueva York y trabajé por segunda vez en la Agencia en abril de 1948. En mayo de 1948, la Agencia me designó su consejero jurídico sudamericano, con sede en Buenos Aires. El 12 de agosto de 1948, Toff me designó oficial de enlace de Israel ante el gobierno argentino. El 21 de noviembre de 1948, Sharet me designó, además, enviado especial de Israel ante el gobierno de Chile. El 28 de febrero de 1949, Sharet me designó representante especial de Israel ante el gobierno argentino. Por último, el 1 de agosto de 1949, día en que Jacob Tsur, ministro de Israel en la Argentina, asumió su cargo y en que yo cesé como representante especial, Tsur me designó, a pedido de Sharet y también por voluntad propia, consejero jurídico y político de la Legación de Israel en la Argentina, que es lo que soy ahora. Estos últimos acontecimientos de mi vida son otros tantos puentes que me llevan, espiritual y materialmente, hacia Israel. Ellos han acrecentado e intensificado mi nostalgia por Israel y mi ansia de radicarme en Israel y de llegar a ser un ciudadano de Israel. Es algo difícil, pero no es nada imposible, que recibas, en un futuro más o menos próximo, mi visita.

Habría podido escribirte esta carta en un ídisch mediocre, en un inglés también mediocre o en un francés bastante aceptable. He preferido escribirte, por esta vez, en hebreo, para lo cual, te lo confieso, he escrito esta carta primero en español y la he traducido después, con la ayuda de mi profesor de hebreo, a este idioma. En lo sucesivo, y hasta tanto yo mismo sea capaz de escribirte, sin la ayuda de nadie, en hebreo, quizá te escriba en uno u otro de los tres idiomas arriba mencionados.

Quiero que tú y tu esposo sepáis que tengo en Israel algunos amigos a los cuales podéis aproximaros invocando mi nombre. Soy viejo amigo de A. S. Yuris, de su esposa, Lidia Schuster de Yuris, cuya dirección es 71 Gordon, Tel Aviv. En Jerusalén, en la casa de Agronsky, director del *Palestine Post,* vive la hija de los esposos Yuris, Keisaria Yuris, que es amiga mía y de mi hija Elischeva. He sido hace muchos años amigo de Natalio Gorelik, que trabaja en Jerusalén, en el Majlakat Hanoar de la Sojnut. He cultivado la amistad de Natán Bistritzky. Soy amigo de Rut Kliger. Soy amigo de Lilly Roth. Soy muy amigo del coronel David Sealtiel. Soy muy amigo de Herman Hollander, ex-subsecretario del Ministerio de Comercio e Industria de Israel, cuya dirección es 71 Boulevard Rothschild, Tel Aviv. Soy amigo fraternal de Moisés Aarón Toff y de su esposa, Raquel Schuster de Toff, los dos estarán en Hakiria en diciembre o en enero próximos. Raquel Schuster de Toff es hermana menor de Lidia Schuster de Yuris.

Te ruego que me escribas largamente. Escríbeme acerca de nuestra abuela y de tu madre. Escríbeme acerca de ti, de tu esposo y de tu hijita. Escríbeme acerca de tus hermanos. Cuéntame cómo habéis pasado estos últimos años. Mi dirección es la siguiente: Dr. Carlos M. Grünberg, Corrientes 2014, Buenos Aires, Argentina.

Mi mujer, mis hijos y yo os deseamos a todos vosotros un feliz año nuevo y toda clase de prosperidades y os enviamos un estrecho abrazo.

Tu primo

Mi padre

Fragmentos de un extenso poema en prosa compuesto por Carlos M. Grünberg en el primer aniversario de la muerte de su padre, sucedida el 31 de diciembre de 1941. Este texto, manuscrito, se encontraba entre los pocos papeles que quedaron tras la muerte de C.M.G.

La muerte de nuestros padres es un evento para el cual no estamos nunca suficientemente preparados y que siempre nos coge desprevenidos.

Mientras vivieron mis dos padres, quería más a mi madre; muerta mi madre, he querido a mi padre más, probablemente, de lo que había querido a mi madre; primero porque mi padre se me había vuelto padre y madre –mi padre y lo que me quedaba vivo de mi madre– y después porque varias circunstancias sobrevinientes –sobre todo, quizá, su última enfermedad– nos aproximaron como nunca.

No sabemos cuánto queríamos a nuestros padres sino después de su muerte. No sabemos cuánto los queremos sino cuando ya no podemos quererlos.

Casi todo lo que pienso y siento a raíz de la muerte de mi padre, lo pensé y sentí a raíz de la muerte de mi madre, grande como mi padre; pero escribo a raíz de la muerte de mi padre. No escribí a raíz de la muerte de mi madre.

Mi padre muerto se me está volviendo un poema. Era un poema que tal vez aprenda a escribir.

¿Por qué esta angustia de muerte que me ha dejado la muerte de mi padre? Él me decía: "Carlos: no quiero que lleven luto por mí. Quiero que me recuerden con alegría". ¿Seré indigno de mi padre; seré incapaz de llorarlo como él quería y merecía?

Mi padre llevó luto por mi madre y por el yerno; pero fue después de esa experiencia cuando me sugirió que no llevara luto por él. Además, él se sentía merecedor de ser recordado con alegría. ¡Oh vaso de vigor vital! ¡Oh depósito de optimismo vitalista!

Mi padre era grande, más grande que él. Tenía una grandeza cósmica, panteísta, que trascendía sus lindes individuales. Sabía todo sabiendo poco. Su sabiduría abarcaba todo, aunque su ciencia abarcara poco. No era un erudito, un científico, un conocedor, un sabedor, sino un sabio. Por eso sabía todo lo que no sabía, más de lo que sabía.

Mi padre, escrito por mí, es fragmentos, pero mi padre, en vida, era un todo completo, rotundo. No tenía, como los filósofos profesionales (que además lo tienen resquebrajadizo), sistema; él era un sistema. Por eso no tenía contradicciones. Y por eso era grande.

Creo que Kandel me enseñó dos cosas acerca de mi padre: que mi padre no era grande sólo para mí y que mi padre era un sistema, es decir, que sus sombras no eran sombras, sino concordantes emanaciones del mismo foco centrífugo de sus luces. En suma: que mi padre era grande indudablemente y que mi padre no era imperfecto, sino perfecto. En dos palabras: que era él.

No incurro en débil y cobarde transfiguración "post mortem" de mi padre. Anoto reflexiones ya muy antiguas.

Adina siente conmigo la grandeza de mis padres. Adina y yo hemos unido nuestras vidas y nuestros muertos. Adina y yo estamos unidos hasta en la muerte de mis padre. Adina es también mi hermana, mi hermana huérfana. Nuestro amor es también nuestra orfandad común.

Sería injusto y muy triste que estas notas se patinaran con un aire de literatura.

El idioma debería carecer de tradición literaria o yo debería crear un idioma nuevo en este instante en que escribo sobre mis padres.

Yo hubiera querido, en vez de escribir sobre mis padres, escribirlos con el esperanto del corazón.

Yo me moriré sin haber dado vida a mis padres, sin haberles dado lo que me dieron. El hijo no puede engendrar al padre. El padre es siempre más que el hijo.

Y sobrevivimos a la muerte de nuestros padres, pero disminuidos, menoscabados, amputados y doloridos, lisiados y tullidos. Sobrevivimos fragmento. Sobrevivimos piltrafa. Dolorosa piltrafa viva, sajada de un doloroso miembro muerto. Cercenado muñón de nosotros mismos.

Oh llanto de la orfandad, agua disolvente, agua saturada que contiene en concentrada disolución la angustia de la muerte, agua letal que estancada nos atosiga y derramada nos desintoxica hasta que su depósito se carga nuevamente.

Padre mío: ¡qué difícil me es respirar desde que te has muerto! El aire se me ha vuelto casi irrespirable. Era tu existencia la que me lo hacía respirable. Tu existencia era el oxígeno que hoy me falta.

Todo lo que me diste, que es casi todo yo, está en mí, pero al morirte me quitaste a aquel que me dio y me daba casi todo lo que yo era.

Para suplir tu ausencia, necesitaría hacerme todo lo que tú eras y yo no era, y no soy capaz de ser lo que tú eras y yo no era. Yo te admiraba por lo que tú eras y yo no era capaz de ser. Yo te admiraba por aquello en que me eras inimitable. Yo te admiraba por aquello en que tú no eras yo, por aquello en que yo no era tu heredero. Yo te admiraba por aquello que viviendo me dabas y que al morirte me has arrebatado.

Tu vida era creación. Creación que me enamoraba. Me faltan tus creaciones. Tu imprevisibilidad. Tu espontaneidad. Tu genial frescura.

Olvídeme yo de mí si te olvidare. Estas palabras me las enseñaste tú.

Te has muerto sin que te dijera –aunque tal vez te lo demostrara– cuánto te quería. Ya no puedo decírtelo. Ya no podré decírtelo nunca más. Ahora tengo que decírmelo a mí mismo. Ahora tengo que decirlo inútilmente.

El cariño, amén de mostrarlo, hay que decirlo. La palabra es también acción. La palabra es también cariño. El cariño es también verbal. El corazón también habla. El corazón que no habla, muestra menos cariño. Es como si quisiera menos. Acaso quiera menos.

Tú sólo podías ser recompensado con cariño. ¡Ay de mí por todo aquel cariño que no te haya dado o no te haya dicho! Ya no te daré ese cariño, ni tú lo sentirás. Ambos hemos muerto para él. Muerto eternamente.

Quisiera hacer por mis hijos tanto como mi padre hizo por mí, pero no quisiera que mis hijos sufran así por mi muerte. Quisiera lo que quería mi padre: que mis hijos me recuerden con alegría. Ahora comprendo por qué mi padre quería eso. Por su paternalidad incluso testamentaria. Sólo por amparar a sus hijos querría un padre vivir eternamente. Y no pudiendo vivir eternamente, dispone para después de su muerte.

¡Qué destierro, padre mío!. Tu vida era tu patria. Mi vida, contigo cerca, era mi patria. Nos han proscripto. Han interpuesto, entre nosotros, algo absoluto. La muerte. La vida. Tu muerte y mi vida. Algo absoluto. No te reencontraría ni si me muriera también yo. Nos separa toda la creación. La creación, que tanto nos había unido. Ya ni mi muerte colmará el abismo que nos separa. Estamos escindidos, y tú no sientes mi falta, pero yo siento la tuya. Yo no te falto, como jamás te falté, pero tú me faltas, como siempre. Tal vez nos éramos, en vida tuya, necesarios, pero ahora yo no te soy necesario, mientras que tú me eres necesario.

Te he perdido para siempre, para toda la eternidad, salvo en la pequeña medida en que soy capaz de recordarte y resucitarte íntegramente, y cuando me muera te perderé de nuevo y del todo, te perderé también en la pequeña medida en que aún subsistes.

Te has muerto y me has matado. Como tú decías de José: este muchacho se murió, pero al morirse me mató a mí. Nuestros muertos no se mueren solos. Nuestra supervivencia a nuestros muertos es parcial, precaria, incompleta. Nuestros muertos nos dejan medio muertos.

A medida que se me vaya, por ley vital, atenuando, este dolor de tu muerte irá transfigurándoseme en placer de mitificar tu vida. Conforme tu cadáver vaya alejándose de mí, tu persona, incesantemente resucitada en mi serenidad, se ira reacercando a mí. Tu muerte pasará para dar lugar a tu nueva vida en mí. Tal vez a la vida en un poema mío que tal vez fue tu última ambición.

Amabas tanto la poesía, mis poemas, que me hubieras inferido el daño de tu muerte por inspirarme el poema de mi dolor de tu muerte.

Tu hijo era para ti tu poema, el mejor poema que habías hecho, y mi padre era para mí un poema mío, aquel de mis poemas que no había sido ni sería capaz de hacer. Sólo de sentir. Y a medias. Tu poema de tu hijo estaba concluso; mi poema de mi padre estará inconcluso eternamente. Mientras sigas muerto. Siempre.

A ti te formaron en innumerables generaciones; a mí me formaste tú en treinta y ocho años. Porque, aunque tu padre tuvo algo de la grandeza del mío, tú fuiste un autodidacta para ti y un maestro para mí; yo no he sido, en cambio, más que tu discípulo.

Soy tu discípulo, pero aunque no haya perdido mi discipulazgo, he perdido a mi maestro. No es lo mismo tener maestro que haber tenido maestro. No es lo mismo tener maestro que no tener ya maestro. Es lo contrario. Es la orfandad. De mi maestro me quedan las lecciones, pero me falta el maestro. Me quedan las lecciones que alcanzó a darme, pero me faltan las lecciones que llevó a la nada, que interrumpió su muerte, y el foco de las lecciones que me dio y de las lecciones que no me dio, que tal vez no me hubiera dado, pero que hubiera podido darme.

Te fuiste en la plenitud. No podía ser de otro modo. Eras plenitud.

Siempre quisiste ser reducido a cenizas una vez muerto. No podías ser reducido a otra cosa. Si habías sido fuego.

Fuego y ceniza. Antecedente y consecuente. Serie natural. Fuego fuiste en la vida y ceniza querías ser y fuiste en la muerte. Ceniza, que no carroña. ¡Oh lógica perfecta!

Eras un panteísta que no dejaba residuo. Querías ser incinerado para volver en seguida a la naturaleza. En forma de humo y de ceniza. Y que la ceniza, menos fluida que el humo, fuese echada al río. Para fluir también. Para incorporarse también. Para volver también. Pero, ¿será posible que sólo vuelvas rehecho en formas menos espirituales? Tú eras digno de que los ángeles existan. Tú prefigurabas a los querubines. Tú deberías ser, ahora, un querubín.

Si yo creyera, siquiera ahora, en la inmortalidad de tu alma, empequeñecería el alma que me diste.

Tu alma no era inmortal, pero era digna de serlo. Si tu alma no era inmortal de hecho, lo era de derecho. Tu inmortalidad no era "de facto", pero sí "de jure". Y después de todo, había en ti, mientras viviste, no sé qué soplo de inmortalidad.

Hasta pecar, cuando pecabas, también sabías. Pues pecabas por vitalismo, con fidelidad al juicio e infidelidad al prejuicio, y sabías arrepentirte de haber pecado, o de haber herido pecando, y olvidar el arrepentimiento para volver a pecar.

Yo te deseaba más bueno para con mi madre, pero mi madre te quería mucho y no sé si, siendo tú más bueno, te hubiese querido más. Quién sabe si mi madre no te quería tal como eras, por ser cual eras, y si yo, al desearte más bueno para con ella, no estaba equivocado.

Si hay atavismos más poderosos que la herencia, uno siquiera de mis hijos podría ser o llegar a ser mi padre redivivo o mi madre rediviva, más hijo de uno de mis padres, o de los dos, que yo mismo. Mi padre, por ejemplo, sería entonces también el padre de ese hijo mío. Y su paternidad, que yo reducía a una relación conmigo, lo alcanzaría a ese hijo, avanzando otra generación. Y así podría persistir indefinidamente. Padre perpetuo sería el mío. Padre inmortal. Patriarca. Lo que él quería. Lo que él sentía.

Mi padre fue uno de esos hombres que cuando fundan una familia fundan una alcurnia, una estirpe, un linaje, y cuando fundan un linaje fundan una raza, un pueblo, una nación.

Mi padre era tan humano, que trascendía lo judío, y tan judío, que trascendía a lo humano puro.

Mi padre era un judío sólo esencial, y su judaísmo de última instancia o esencia era la razón y la dignidad.

El judaísmo de mi padre, destilado, judeidad pura, era lucidez, ética y virilidad. Salomón, Isaías y Macabeo.

La verdad, la belleza, el bien, los valores sumos, eran para mi padre hechos constitutivos, y a la vez metas ideales. Les atribuía una grandeza mítica, pero convivía familiarmente con ellos. Le eran domésticos y misteriosos. Le eran como Cristo: un deudo carnal que a la vez es dios.

Mi padre, a fuer de judío, era todo un hombre. Mi padre, a fuer de todo un hombre, era un judío.

Mi padre, a fuerza de judío, era puro hombre.

Mi padre era un judío desencarnado.

Mi padre y la superstición eran aceite y agua.

Mi padre era tan grande, que yo, para abarcarlo, lo empequeñecía.

Mi padre era tan grande, que acaso él mismo se empequeñeciera para caber en los demás.

Las pequeñeces de mi padre animaban con su grandeza. Pocos leerían la *Ilíada* si no estuviese traducida. A ratos me parece que yo tan sólo he conocido la edición popular, en rústica, de mi padre. Que sus rusticidades eran versiones a mi alcance. Que el rústico era yo.

Mi padre era tan grande, que sabía empequeñecerse.

Mi padre era tan grande, que no podía creer en Dios.

Mi padre era tan ateo, que cuando ponderaba su buena suerte, decía espontáneamente, sin siquiera sustituir la palabra Dios por la palabra naturaleza: "La Naturaleza me ayudó" .

Mi padre era tan divino, que yo lo adoraba y lo deifico.

Mi padre era tan divino, que no creía en Dios.

Mi padre era tan divino, que deificaba o divinizaba todo, hasta el dolor y la muerte.

Mi padre era tan divino, que ya no es humano.

Mi padre era tan padre, que escribía versos muchos años antes de que yo naciera.

Mi padre era tan grande, que me respetaba hasta a mí.

Mi padre era tan alegre, que reía del chiste ajeno y hacía reír con el chiste propio en los intervalos de los dolores físicos más atroces.

Mi padre era tan poeta, que hacía reír a carcajadas o llorar angustiosamente con sólo combinar en la conversación las "doscientas palabras" (como él decía) con que hablaba. Algo de su instintiva retórica de la sobriedad ha pasado a mí. También de su incidental prosopopeya y grandilocuencia.

De mi padre quedamos quienes lo entendimos y quisimos.

De mi padre queda lo que él dejó en nosotros.

De mi padre queda mi padre, incorporado a nosotros, consubstanciado con nosotros.

Si mi padre muerto pudiese ver una alegría mía, se alegraría paternalmente por mí. También por esto quiso que lo recordara con alegría. Y en verdad él, tan alegre, está recordado en cada placer de mi experiencia, me espera en cada uno de mis futuros gozos de huérfano.

No por ser esposo y ser padre se es menos huérfano del padre muerto. Acaso más. Acaso quienes podemos dejar huérfanos nos sentimos más huérfanos de nuestros muertos.

Este afán de mejoramiento que me hostiga desde la muerte de mi padre, me convierte en reedición de mí mismo, con póstuma fe de erratas de mi padre.

Sólo ahora quiero a mi padre como él quería que lo quisiera.

Mi padre se me metió en el alma hasta ser mi alma..

La muerte del alma de mi padre, metida en el alma mía, me ha desalmado. Desanimado. Inanimado. Sólo su recuerdo me reanima. Anima. Unanimiza.

Tengo a la intemperie la sajadura por donde mi padre se desgarró de mí. El fragmento que me falta es humo y ceniza; el fragmento que me queda es cosa cenicienta.

Si yo hubiese muerto antes que mi padre, no me sentiría tan muerto. Pero él, más.

Sólo no dando vida a un hijo se puede no darle muerte.

Mi padre, al perder la vida, lo perdió todo. Estas impotentes palabras que lo recuerdan son asimismo ceniza suya. Mi literatura es también ceniza de su vida. Literatura y vida. Casi antítesis.

Mi vaso literario no lo contiene, como su urna cineraria no lo contiene.

Mi padre no volverá ni en un nieto póstumo.

Mi padre estaba tan vivo, que no podía no morir. La muerte es la última demostración de la vida. Resolución lógica y solución biológica.

Mi padre era tan padre, que era paternal con mis amigos.

Mi padre era tan padre, que era paternal consigo.

Cuando fue rey de la vida, se sintió rey de la vida, y cuando dejó de ser rey de la vida, siguió sintiéndose rey de la vida.

Mi padre me dio la vida sin perderla, pero perdió la vida quitándomela.

Mi padre era tan sublime, que sentía todo lo sublime.

Mi padre era mi corona y yo era su corona. Nos coronábamos mutuamente. Ha muerto mi corona. He muerto como corona de mi padre.

Dos filiaciones hay: la de la sangre y la del espíritu. Una "ex lege" y otra "ex contractu". Una impuesta y otra voluntaria. La mía era de la sangre y del espíritu.

Jamás conocí a mi padre ese gran defecto tan corriente de hablar cuando el otro habla. ¡Qué gran escuchador!

Mi padre soñaba tanto, que hasta idealizaba sus sueños.

Él sí que soñaba cuando durmiendo soñaba.

Pienso en mi padre y lo pienso vivo, no cadáver, ni humo y ceniza. Y pienso bien. Cuando él era, era como lo pienso. Cuando era como era, lo era eternamente, para siempre. En cada instante del tiempo de su vida, no era temporal, sino eterno. El tiempo es la eternidad. Y la eternidad, el tiempo.

Mi padre no se ha deshecho en cenizas y humo; se ha rehecho en ceniza y humo.

25 de noviembre de 1942. ¡Padre mío! ¡Qué cumpleaños tuyo éste! Cumpleaños frustrado. El primer cumpleaños que no cumples. Que apenas cumples en mi recuerdo de ti. Que yo cumplo precariamente por ti.

Hebraísmos y criptohebraísmos
en el romance peninsular y americano

Este meduloso trabajo publicado por C.M.G. hace más de seis décadas, da testimonio de una de sus pasiones: la filología. Aparecido en la revista Judaica *en 1937, no ha perdido actualidad.*

1. El judeo, el ladino del siglo XV, conservado por los descendientes de los expulsos, en suma, el español de los sefardíes, ha sido, como es notorio, estudiado con intensidad y con provecho; mas las relaciones del romance con la lengua santa, la medida en que el castellano ha sufrido la influencia del "idioma que Dios habló con el hombre", en suma, el hebreo de los hispanohablantes, eso no sólo se ha enfocado en rarísimas ocasiones, y entonces muy superficialmente, sino que hoy día no constituye ni tan siquiera un problema que se plantee o se sospeche, inclusive, desde luego, por los filólogos.

En el primer capítulo de su *Manual de Gramática Histórica Española,* titulado "Idea de los elementos que forman la lengua española", Ramón Menéndez Pidal pasa revista al latín, al galo, a las lenguas ibéricas, al griego, a los elementos germánicos, al árabe, al francés, al italiano, al gallegoportugués, al catalán o valenciano, al leonés, al aragonés, al andaluz y a los idiomas indígenas americanos, pero ni menciona al hebreo[73]. En igual omisión incurren García de Diego[74] y Alemany[75].

Semejante preterición es sin embargo injusta y anticientífica, y así lo demostraré brevemente, aduciendo parte de los hebraísmos acumulados por otros y parte de los hebraísmos acumulados por mí.

2. Juan de Valdés, en el *Diálogo de la Lengua*, escrito hacia 1535 e impreso por vez primera en 1737, consigna estas palabras:

MARCIO: ¿Creéis que la lengua castellana tenga algunos vocablos de la hebrea?

VALDÉS: Yo no me acuerdo sino de solo uno, el qual creo que se la aya pegado de la religión; este es *abad,* de donde viene *abadessa, abadia* y *abadengo.*

CORIOLANO: Esse ultimo vocablo es muy nuevo para mi; no passeis adelante sin dezirme que quiere dezir abadengo.

VALDÉS: Porque en la lengua castellana de real se dize realengo lo que pertenece al rey, quisieron los clerigos, con su acostumbrada humildad, por parecer a los reyes que de abad se llamasse abadengo lo que pertenece al abad o abadía.

PACHECO: ¿Pareceos a vos que fueron muy necios?

VALDÉS: No m'empacho con clerigos. Tambien *saco* por costal o talega es hebreo, de donde lo ha tomado el castellano assi como casi todas las otras lenguas que an sucedido a la hebrea" [76].

Quiero recordar que cuando Valdés afirmaba que abad con sus derivados y *saco* por costal eran hebraísmos, lo hacía con pleno conocimiento de causa, pues sabía hebreo. Sin embargo, el Diccionario de la Academia Española sigue sosteniendo, cuatro siglos después de escrita y dos siglos después de impresa la obra del conquense, que abad trae su origen del latín *abbas, abbatis,* y éste del siríaco *abba,* padre, y que *saco* lo trae del latín *saccus,* vocablo que jamás tuvo el sentido de costal. Y conste que cito y citaré el Diccionario de la Academia porque, no obstante su escasa autoridad en achaques etimológicos, es, al menos comparativamente, liberalísimo, según veremos, en la admisión de hebraísmos.

3. En 1848, García Blanco escribía incidentalmente, en un capítulo titulado "De la traducción en general del hebreo al español":

"La tercera clave para la traducción hebrea podemos fijarla en *la multitud de palabras hebreas, que dan origen a palabras griegas, latinas, árabes, españolas, alemanas y demás europeas* [77]: de manera que por la significación de éstas venimos en conocimiento de la propiedad de aquéllas, y una vez conocidas las hebreas podemos rehacer sobre las griegas, latinas y modernas, para rectificar acaso su propiedad: v. gr. DUR [78] *andar al rededor,* de aquí *du-*

rare latino, cuya propiedad rectificamos mediante tan clara etimología: UR *lucir;* de aquí *urere,* cuya propiedad también rectificamos por este medio: ALMANAH *viuda,* de donde tomaron los árabes y de éstos vino a nosotros *almena;* ELEH *ellos,* de donde el *ille* latino, y nuestro *él;* ETER *lugar estenso, etera* latino, *éter y etéreo* nuestro: BUL *lluvia, bullire,* bullicio, bola, bula, bala; BUC *vacuum,* buque, boca; AVAH *haber;* JAZAR *hozar;* JAYAH *hayán;* TIRAH *tira, torre;* YASCHPEH *iaspis, jaspe;* CARCOV *corcoba;* CARAT *cortar;* LUT *cubrir, lutum, lata, luto, lote;* LUN *pernoctar, luna;* QUETONET *túnica, cotón, sotana;* MUN *fingir, asemejar,* de donde *mona;* TAJÁN *moler, tahona;* MIDAH *medida;* MOT *motus;* MARAR *amargar, mirra;* CAPEL *doblar, capelo;* MASKIT *imagen, mezquita,* mediante otra palabra árabe; CAPASCH *cubrir, capacho, capucha;* y más de otras quinientas que pudiéramos citar, todas evidentemente hebraicas, y raíces de otras tantas palabras griegas, latinas y castellanas; pero de esto basta ya para demostrar prácticamente que es una clave segura y de muchísima aplicación el *parecido o la etimología de voces de otras lenguas,* para entender y traducir fácilmente la hebrea, que es nuestro propósito" [79].

Y más adelante García Blanco añadía:

"Sería muy largo enumerar las palabras, las locuciones castellanas, los giros, y aun tropos y figuras que tenemos en nuestra lengua, tan análogos al hebreo, que sin temor de errar nos atrevemos a decir que el habla castellana tiene tanto de oriental como de latina, mucho más de hebrea que de griega, y tanto de árabe como de teutónica. Los modismos más caracterizados del idioma hebreo casi todos los hallamos en el nuestro, no desfigurados, no elenificados ni latinizados, sino con la misma fisonomía original, con la misma energía y gracia, aunque tal vez relegados al vulgo, y declarados en el tribunal caprichoso, parcial y anti-hebraico de los literatos por groseros vulgares y aun mal sonantes y obscenos: v. gr. VAYEHI MIKEZ YAMIM *y sucedió al cabo de días;* HASCHEMESCH YAZA *salió el sol;* BO HASCHEMESCH *puesto el sol;* ARBAH SCHENATEJA *tu dulce sueño;* VAICAJ ISCHAH *y cogió mujer;* AF KI AMAR ELOHIM *con que dijo Dios...*

"Lo mismo sucede con muchísimas palabras que originarias del hebreo, acaso en odio a la nación que las usara, han venido a reputarse por groseras o bárbaras y a desusarse: v. gr. COAJ, CARA, CUL, PISCH, PUT, CAPAR, JODER, MEYAH, PEDOH, MEYARHDAH, PATAH, SCHAFAL, SCHOSCH, ULEPEH, PARAH, BUARON, NAJAH, RABOH, NABOT, SCHOR, POROR, GOR, PATAN, TEIT, pues apenas hay en nuestra lengua castellana palabra malsonante que no tenga su origen hebraico o semítico: lo cual, decimos, nos parece haber sido la causa de su malsonancia y desuso, en odio al pueblo judío y a todo lo que tuviera relación con él: pues a no ser así, y si el anatema hubiera recaído sobre el catálogo de palabras que antecede sólo por lo grosero, liviano o torpe de las ideas que expresan, no sería lícito proferir estas palabras ni otras equivalentes: es así que vemos usadas otras de origen latino para expresar estas mismas cosas aun en buena sociedad, aun en la mesa y aun en la iglesia; pues decimos *teste, asiento, prostituta, castrar, yogar, orinar, flato, deposición, pierna, los bajos, cano, carrera o corrida, sodomita, cola, prolífico, gota, pesado, parásito, bestia, pecho,* etc., luego la aversión es sólo a la palabra hebrea, no a la cosa" [80].

Me extendería demasiado si no dejara para otra oportunidad, como lo hago, el análisis minucioso de estas páginas. Sólo diré por ahora que hay en ellas arbitrariedades evidentes y aciertos indiscutibles. Destacaré de entre estos últimos los más notables.

Cojón (teste). *Cojón* deriva de la voz bíblica *cóaj*, que significa fuerza, fuerza viril, fortaleza, vigor, esfuerzo, poder, capacidad, aptitud, disposición y naturaleza (Génesis, 4, 12; 49, 3; Jueces, 16, 6; Esdras, 10, 13; Job, 6, 11; 26, 2; Proverbios, 5, 10; Daniel, 10, 8). *Cóaj* engendra en hebreo formas como *cojí* (mi fuerza viril), *cojenu* (nuestra fuerza viril).

Cortar. El Diccionario de la Academia deduce *cortar* del latín *cortare*. La etiomología es inadmisible, pues en latín hay *amputare, scindere, secare*, pero no *cortare. Cortar* deriva de la voz bíblica *carat*, que significa cortar, partir, dividir, castrar (Éxodo, 4, 25; Deuteronomio, 23, 1). *Carat* engendra en hebreo formas como *coret* (corto, cortas, corta), *cortim* (cortamos, cortáis, cortan).

Hozar (mover y levantar el puerco y el jabalí la tierra con el hocico). El Diccionario de la Academia deduce *hozar* de *hoz* (angostura de un valle profundo o de un río que corre por entre dos sierra). La etimología es lógicamente imposible. *Hozar* (recuérdese la primitiva pronunciación de esta palabra) deriva de la antiquísima voz hebraica *jazor*, que significa revolver, buscar, rebuscar, etc., y que a su vez ha dado origen, dentro del mismo hebreo, al *jazir* bíblico, que significa puerco y jabalí (Levítico, 11, 7; Salmos, 80, 13). *Jazor* engendra en hebreo formas como *jozer* (revuelvo, revuelves, revuelve), *jozerim* (revolvemos, revolvéis, revuelven).

Jayán (persona de grande estatura, robusta y de muchas fuerzas). El Diccionario de la Academia deduce *jayán* del provenzal *jayán*, y éste del latín *gigas, gigantis, gigante.* Es la forzada hipótesis de Meyer-Lübke [81]. *Jayán* deriva de la voz bíblica *jayah*, que significa animal, bestia (Génesis, 2, 19; 7, 14; 37, 20; Salmos, 50, 10; Sofonías, 2, 14).

Joder (yogar). *Joder* deriva de la voz bíblica *jador*, que significa entrar, penetrar, meterse, introducirse, atravesar, traspasar, etc. (Ecequiel, 21,

14). *Jador* engendra en hebreo formas como *joder* (penetro, penetras, penetra), *jodrim* (penetramos, penetráis, penetran).

Julepe (en España, reprimenda, castigo; en América, susto, miedo). El
· Diccionario de la Academia deduce julepe del árabe *chuleb*, y éste del persa *gul*, rosa, y *ab*, agua. Basta enunciar la etimología para refutarla. *Julepe* deriva de la voz bíblica *ulepeh*, que significa angustia, desmayo, etc. (Ecequiel, 31, 15).

Patán (aldeano o rústico, hombre zafio y tosco). El Diccionario de la Academia deduce *patán* de *pata*. *Patán* deriva de la voz postbíblica *patam*, que significa buey alimentado, buey engordado, buey cebado, buey cebón, cotral.

Hago constar que en este trabajo denomino voces postbíblicas a aquellas voces hebraicas que sin perjuicio de su milenaria antigüedad no constan en la Biblia, sino en textos posteriores, correspondientes a los primeros siglos de la era cristiana. En ningún caso doy tal nombre a voces neohebraicas.

4. En 1886 publicó Eguílaz su glosario[82]. Yo confieso haberlo abierto hace algunos años con la esperanza –fundada en su título, pero frustrada por su lectura– de hallar en él los muchísimos hebraísmos que, según ya entonces me constaba, existen incorporados al romance. Mas dos motivos se oponían a que fuese Eguílaz el hombre que formara la primer lista razonada de los hebraísmos castellanos. En primer lugar, Eguílaz sólo poseía algunos rudimentos ineficaces de hebreo; en rigor desconocía la lengua santa. Así me parece, al menos, por ciertos yerros que comete. En segundo término, Eguílaz era víctima, en lo tocante a nuestro tema, de un prejuicio que se interponía entre él y la realidad, y que, aunque hubiese sabido hebreo, le habría producido, tambien entonces, el mismo efecto cegador. El propio Eguílaz puntualiza dicho prejuicio. Dice, en efecto, lo siguiente: "Doy cabida en este trabajo a las palabras de origen hebreo, no obstante de ser contadas las que se derivan inmediatamente de aquella lengua". Y en nota añade: "Léese en el P. Sigüenza *(Vida de S. Jerónimo):* tenemos por clarísimo que desde los tiempos de Esdras, por lo menos, la lengua santa no ha sido vulgar a los judíos. Del cap. VIII del 2º lib. de este gran escriba consta que se leía la escritura en hebreo y no en siro ni en caldeo, y que no la entendían si no se la declaraban: y dice allí que el pueblo se alegraba mucho cuando Esdras y los levitas de-

claraban la ley. Desde entonces corrió así hasta hoy, que en todas las sinagogas se lee en hebreo, que no lo entienden sino los maestros que lo estudian con gran cuidado" [83]. El episodio relativo a la época de Esdras es auténtico, pero la aseveración concerniente a la ulterior insipiencia hebraica de los judíos constituye una grave inexactitud histórica. Hace por lo menos dos mil años que Israel no cuenta un solo analfabeto, y este bimilenario alfabetismo judiego ha sido precisamente hebraico. Los judíos españoles practicaban la lengua santa, y por eso son muchos –que no "contados"– los hebraísmos del romance.

Lo expuesto basta para comprender por qué los hebraísmos españoles allegados por Eguílaz no pasan de sesenta y tres. Eguílaz los espigó casi todos en Alix, en Casiri, en Covarrubias, en Devic, en Gesenius, en Sousa y en el Diccionario de la Academia; un pequeño excedente es de su cosecha. De dichos sesenta y tres hebraísmos, veintitrés –entre los cuales hay, desde luego, algunos nombres propios– no han pasado, ni siquiera como vocablos del idioma, al Diccionario de la Academia, ocho figuran en éste como de origen no hebraico, o simplemente sin declaración de su origen, y sólo los treinta y dos restantes constan en él como hebraísmos.

He aquí la serie de los veintitrés hebraísmos españoles que obran en el glosario de Eguílaz y no así en el Diccionario de la Academia:

Aljamán (púrpura). Eguílaz tomó esta voz, que se encuentra en la Biblia Vieja de Ferrara de Gesenius. Se trata del *argamán* hebraico.
Astarot. Eguílaz tomó esta voz de Gesenius.
Baal. Tomó esta voz de Gesenius.
Belial.
Cedaquá (limosna). Halló esta voz en el Cancionero de Baena. Hoy la escribiríamos *cedacá.*
Cedaquín (justos, saduceos). Halló esta voz en el Cancionero de Baena.
Cefermose (libro de Moisés. Pentateuco). Halló esta voz en el "Ordenamiento de las Tafurerías", ley XLI.
Cohino (cohén). Halló esta voz en el Cancionero de Baena.
Dayán (juez). Halló esta voz en "La Danza de la Muerte". *Dayán* pervive en el apellido Avendaño (Bendayán), que significa hijo de juez.
Elohim. Escribió *Helohym,* que es como halló la voz en "La Danza de la Muerte".
Gólgota. Tomó esta voz de Marcel Devic.
Hasán (chantré, capiscol). Halló esta voz en el Cancionero de Baena y la definió imperfectamente como "potentes *(civitatis)*". Hoy la escribiríamos *jasán.*

Homás (Pentateuco). Halló esta voz en el Cancionero de Baena. Hoy la escribiríamos *Jomás*.

Huynna (lamentación, queja, canto lúgubre). Halló esta voz en el Cancionero de Baena. Se trata del *kinah* hebraico.

Mesumad (bautizado, apóstata, renegado, converso). Halló esta voz en el Cancionero de Baena y copiando al glosador del mismo la definió equivocadamente como devastador, asolador, malhechor, facineroso.

Misná (Ley oral codificada). Tomó esta voz de Marcel Devic.

Molok.

Rabé (rabí). Halló esta voz en los "Fueros dados a la villa de Sahagún por D. Alfonso X en 1255".

Roca (molicie). Halló esta voz en el Cancionero de Baena.

Sabaot (ejércitos). Tomó esta voz de Marcel Devic.

Selhue (codorniz). Halló esta voz en el "Fuero Juzgo", libro XII, tít. III, ley XV. Se trata del *schelav* hebraico.

Samás (criado, servidor, sacristán). Escribió *ssamas*, que es como halló la voz en el Cancionero de Baena, y copiando apresuradamente al glosador del mismo la definió por sacerdote del sol, ministro de una sinagoga.

Tefilá (oración, alabanza, cántico). Escribió *tefyla*, que es como halló la voz en el Cancionero de Baena, y siguiendo al glosador del mismo la definió por oración mortuoria, responso.

En cuanto a las ocho voces que Eguílaz trae como hebraísmos del romance y que en el Diccionario de la Academia figuran como de origen no hebraico, o simplemente sin declaración de su origen, son las siguientes:

Adán

Benjamín.

Chafar. El Diccionario de la Academia deduce esta voz de la raíz románica *clap o claf.* Eguílaz la tomó de Gesenius.

Chirigota. Eguílaz tomó esta voz de Gesenius.

Mirra. El Diccionario de la Academia deduce esta voz del latín *myrrha*, y éste del griego *murra.* Eguílaz la tomó de Gesenius.

Nabla. El Diccionario de la Academia deduce esta voz del latín *nabla*, y éste del griego *nabla.*

Paraíso. El Diccionario de la Academia deduce esta voz del latín *paradisus*, éste del griego *parádeisos*, y éste del persa *faradaiça*, jardín.

Sabeo. El Diccionario de la Academia deduce esta voz del latín *sabaeus*.

5. El léxico oficial consigna como hebraísmos sesenta y un vocablos. Treinta y dos de éstos son comunes –ya lo tengo dicho– al glosario de Eguílaz y al léxico oficial. Los veintinueve restantes faltan en el glosario de Eguílaz. Ello basta por sí solo para demostrar que este glosario adolece de lagunas importantísimas.

Las primeras treinta y dos voces son éstas:

Adonái	Fariseo	Maná	Rabí
Aleluya	Gehena	María	Sábado
Amén	Hebreo	Masora	Saduceo
Atora	Hosanna	Mesías	Sanedrín
Babel	Jehová	Pascua	Satán
Barahá	Jesús	Querub	Serafín
Cábala	Jubileo	Querube	Talmud
Cohén	Leviatán	Querubín	Tora

Las veintinueve voces restantes son las siguientes:

Adonaí	Háber	Moabita	Taled
Amalecita	Hacán	Piltrafa	Tárgum
Caraíta	Hisopo	Rabino	Trefe
Coro	Jebuseo	Safir	Trifa
Edén	Judío	Satanás	Zafiro
Efetá	Máncer	Sefardí	
Efod	Marrano	Siclo	
Gálbano	Meldar[84]	Sidra	

6. Hay todavía otras obras en las que cabe espigar algunos hebraísmos. Tal ocurre, pongo por caso, con *Beiträge sur Kenntnis des Judenspanischen von Konstantinopel,* de Max Leopoldo Wágner, y con *Caracteres generales del judeo-español de Oriente,* del mismo, donde se encuentran estos dos[85]:

Desmazalado (desdichado, desgraciado, infortunado, malhadado). El Diccionario de la Academia deduce *desmazalado* de *desmalazado.*
Malsín (calumniador, denunciador). El Diccionario de la Academia deduce *malsín* del latín, *male,* mal, y *designare,* señalar.

7. Me he referido hasta aquí a los hebraísmos españoles declarados tales que con un poco de paciencia pueden extraerse de los principales trabajos directa o indirectamente vinculados con el problema en que me ocupo. Pero quien crea (¿y quién no lo cree?) que esas voces, aumentadas a lo sumo con el caudal de los nombres propios castellanos cuya ascendencia hebraica es innegable, agotan la lista de los hebraísmos del romance se equivoca de medio a medio. Estos hebraísmos son sobremanera más numerososos de lo que se sabe; los criptohebraísmos que yo he reunido por mi propia cuenta son cantidad.

¡Cómo!, dirán muchos; ¿un simple aficionado, y pretende haber hecho un descubrimiento? A ésos quiero recordarles que es precisamente a los aficionados, y no a los especialistas, a quienes suele la caprichosa fortuna reservar los descubrimientos.

Sea de ello lo que fuere, me incumbe la prueba de mi afirmación y la daré. Eso sí, como no abrigo el propósito de exhibir todos mis hallazgos en este artículo, que es solamente el primer esbozo de otro estudio harto más amplio que verá la luz en su momento, me limitaré por ahora a publicar, entresacándolos del ramillete que he formado, treinta hebraísmos castellanos absolutamente desconocidos hasta hoy. Me parece que como elemento de convicción serán suficiente. Helos aquí:

Abatatado (avergonzado, turbado, corrido, amedrentado). *Abatatado* deriva de la voz bíblica *avatah*, sufijo *avatatí* (mi agravio), que significa maldad, injusticia, agravio, ofensa, ultraje (Trenos, 3,59). Como *abatatado* es término familiar rioplatense, y no el único americano o aun simplemente argentino de mi tesoro, considero oportuno recordar aquí, aunque sólo sea de pasada, que la filología constituye una de las ciencias auxiliares de la historia. Palabras semejantes podrán servir a maravillas para iluminar una cuestión tan desconocida –y en cierto modo tan soterrada– como la de la influencia ejercida por los judíos en la historia americana y dentro de ésta en la argentina y en la porteña. Sabido es, por ejemplo, que numerosos marranos del Brasil se establecieron, por lo menos desde 1580, en Buenos Aires y en el, interior, y fundaron las principales familias de nuestra oligarquía colonial y de nuestra aristocracia republicana. "La trompa de los husmeadores de razas", según diría Alfredo Kerr, percibirá, en adelante el *foetor judaicus,* como lo llamó Marco Aurelio, que emana de los inocentes vocablos a que me refiero[86].

Ahajar, ajar (maltratar o deslucir alguna cosa manoseándola o, de otro modo, tratar mal de palabra a alguno para humillarlo. El Diccionario de la Academia deduce *ajar* de *ahajar*, y *ahajar*, dubitativamente, de *a* y el bajo latín *faculare*, hacer astillas, romper. No encuentro *faculare* en los calepinos; además, aunque *faculare* existiese, la etimología indicada en el léxico oficial seguiría siendo inverosímil. *Ahajar* y *ajar* derivan de la voz bíblica *ajer*, que significa enturbiar, turbar, entristecer, afligir, atormentar (Génesis, 34, 30; 1 Samuel, 14, 29; Proverbios, 11, 17; 11, 29). *Ajer* engendra en hebreo formas como *ajartí* (yo enturbié), *ahajer* (yo enturbiaré).

Bruja, brujo. El Diccionario de la Academia deduce *bruja* de *brujo*, y *brujo* del latín *bruscus*, rubeta, rana de zarzal, batracio. No encuentro en los calepinos ningún *bruscus* equivalente a rubeta; además, aunque semejante *bruscus* existiese, la etimología indicada en el léxico oficial seguiría siendo, no solamente inverosímil, sino también ridícula. *Bruja* deriva de la voz bíblica *berajá*, que significa bendición (2 Crónicas, 20, 26) y que ha dado también origen al término *barah*á el cual figura en el Diccionario de la Academia. Entre paréntesis observo que en "La Danza de la Muerte" se dice *berahá*[87] así como también que en lugar de *barahá* y *berahá* debería escribirse *barajá* y *berajá* respectivamente. Insisto pues en que *bruja* deriva, como *barahá*, de la voz bíblica *berajá*. En efecto, en la época de formación del vocablo *bruja*, el vulgo ignorante y supersticioso identificaba, sin duda alguna, hechicera con judía y conjuros o imprecaciones de las hechiceras con oraciones judías *(berajot)*. Agréguese que la voz bíblica *barej*, que significa bendecir, significa asimismo imprecar, blasfemar y maldecir (Job, 2,9)[88].

Brújula. El Diccionario de la Academia deduce *brújula* del italiano *bussola*, cajita. Admito que el francés *bussole* derive del italiano *bussola*, mas no que *brújula* tenga el mismo origen. La etimología indicada por el léxico oficial es arbitraria. Si *brújula* proviniese de *bussola*, sería, en el mejor de los casos, *bújula*. A mi ver, *brújula* no es más que el diminutivo de *bruja*, sin perjuicio de que este diminutivo se haya formado tal vez por analogía con *bussola*, cuya contaminación habría sufrido. En cuanto a que *brújula* haya significado en un comienzo pequeña bruja, la cosa me parece clara y aun evidente. Para los primeros españoles que se valieron de la brújula, las propiedades magnéticas de su barrita o flechilla, que todavía no habían sido explicadas por la ciencia, debían ser un prodigio, una brujería. A mayor abundamiento, téngase presente que *brujulear* significa descubrir poco a poco, en el juego de naipes, las cartas, para conocer, por las rayas o pintas, de qué palo son, y también adivinar, acechar, descubrir por indicios y conjeturas algún suceso o negocio que se está tratando.

Cardar. *Cardar* deriva de la voz bíblica *carod*, que significa lo mismo.

Coger (yogar). Este americanismo vulgar deriva, como *cojón* (teste), de la voz bíblica *cóaj*, cuya significación he explicado más arriba, a propósito de la palabra *cojón*. *Coger* es pues ejercer el *cóaj,* ejercer la fuerza viril. El verbo forzar, en cuanto equivale a gozar a una mujer contra su voluntad, guarda estrecha analogía con el obsceno *coger* americano, cuya traducción literal, atento su etimología hebraica sería precisamente forzar. Dejo con esto explicado el hecho misterioso –ante el cual vi absorto, hace muchos años, a don Américo Castro– de que coger haya tomado en América el sentido aparentemente antojadizo de *yogar* [89].

Cojudo. El diccionario de la Academia deduce *cojudo* de un derivado (¿cuál?) del latín *coleux*, testículo. *Cojudo* deriva, como *coger* y *cojón,* de *cóaj*. *Coger, cojón* y *cojudo* son voces de igual raíz y familia.

Chamullo (en Andalucía y Argentina, charla, dicho). –*Chamullo* deriva de la voz bíblica *schemüa*, que significa anuncio, noticia, nueva, rumor, fama, etc. (2 Samuel, 4, 4; 2 Crónicas, 9, 6; Proverbios, 15, 30; Isaías 53, 1; Jeremías 49, 23; Daniel,11, 44).

Choto (cría de la cabra mientras mama, es decir, cabrito; en algunas partes, ternero, ternera). El Diccionario de la Academia deduce *choto* del latín *suctum*, supino de *sugere*, mamar. *Choto* deriva de la voz bíblica *seh* plural *seyot*, que significa cabra, cabrito, oveja, cordero, etc. (Deuteronomio, 14, 4; 22, 1; 1 Samuel, 14, 34).

Chulo (en el matadero el que ayuda a encerrar las reses mayores; en las fiestas de toros, el que asiste a los lidiadores; etc.). El Diccionario de la Academia deduce *chulo,* dubitativamente, del árabe *chaul*, joven. *Chulo* deriva de la voz postbíblica *schuliá* que significa aprendiz, alumno.

Erial, erío. El Diccionario de la Academia deduce *erial* de *erío*, y *erío, ería*, de ninguna parte. *Erial* y *erío* derivan de la voz bíblica *eriah*, que significa desnudez (Miqueas, 1, 11; Habacuc, 3, 9).

Gañán (mozo de labranza; hombre fuerte y rudo). El Diccionario de la Academia deduce *gañán* del árabe *gannam*, mozo de pastor. Pero si el árabe *gannam* es mozo de pastor no se ve cómo ha podido volverse en castellano mozo de labranza. Desde los tiempos de Caín y Abel, la labranza y el pastoreo son dos faenas perfectamente separadas y absolutamente inconfundibles. Von Jhering ha ilustrado esto en forma magistral. *Gañán* deriva de la voz postbíblica *gannán*, que significa jardinero, hortelano, cultivador, y que a su vez proviene de la voz bíblica *gan*, que significa jardín, huerto (Génesis, 2, 15).

Guita (cuerda delgada de cáñamo). El Diccionario de la Academia deduce *guita* del latín *vitta*, faja, cinta. *Guita* deriva más naturalmente de la voz bíblica *guid*, que significa cuerda, venda, vena, tendón, nervio, músculo (Génesis, 32, 32; Isaías 48, 4).

Lava (materias derretidas o en fusión que salen de los volcanes al tiempo de la erupción, formando arroyos encendidos). El Diccionario de la Academia deduce *lava* del italiano *lava*, y éste del latín *lavare*, lavar. La segunda etimología se destruye sola; la lava no es agua, sino fuego, y no lava o limpia, sino que ensucia y destruye. El español *lava* y el italiano *lava* derivan ambos de las voces bíblicas *labah* y *lehavah*, que significan llama, llamarada y lava (Éxodo, 3, 2; Salmos, 29, 7; 105, 32; Isaías, 4, 5).

Manea, maneota, maniota (cuerda con que se atan las manos de una bestia para que no se huya). El Diccionario de la Academia deduce *maniota* de *maneota*, *maneota* de *manea*, y *manea* de un derivado (¿cuál?) del latín *manus*, mano. *Manea* deriva de la voz postbíblica *meniah*, que significa traba, impedimento, obstáculo, y *maneota* y *maniota* derivan del plural de *meniah*, que es *meniot*. A su vez *meniah* y *meniot* provienen de la voz bíblica *manoa* que significa detener, impedir, trabar (Job, 20, 13; Jeremías, 48, 10; Ecequiel, 31, 15).

Manjar. El Diccionario de la Academia deduce *manjar* del catalán *menjar*, y este del latín *manducare*, comer. *Manjar* deriva sencillamente de la voz bíblica *maajal*, que significa alimento, víveres, manjar, vianda, pasto, acción de comer, comida (Génesis, 6, 21; Levítico, 19, 23; Jueces, 14, 14; Salmos, 44, 11; Habacuc, 1, 16).

Marmota. El Diccionario de la Academia deduce *marmota* del francés *marmotte*, y éste del latín *mus, muris*, ratón, y *montanus*, del monte. Ni siquiera vale la pena perder el tiempo en reírse de este *mus, montanus*. *Marmota* y *marmotte* derivan de la voz postbíblica *marmitah*, que significa marmota.

Mastín. El Diccionario de la Academia deduce *mastín* del latín *mansuetinus*, de *mansuetus*, domesticado. Aunque esta absurda etimología cuente en cierto modo con la autoridad de Meyer-Lübke[90], la verdad es que *mastín* deriva de la frase bíblica *maschtín bequir*, cuya traducción literal es meante (*maschtín*) en (*be*) la pared (*quir*) y que, como ya se imaginará, significa perro (1 Samuel, 25, 34).

Maula (retal, recorte, sobrante, desperdicio; cosa inútil y despreciable; bellaco, taimado; etc.). *Maula* deriva de la voz postbíblica *mahul*, que significa circuncioso y que a su vez proviene de la voz bíblica *mahol* que significa cortar, circuncidar (Génesis, 17, 11).

Nardo. El Diccionario de la Academia deduce *nardo* del latín *nardus* y éste del griego *nárdos.* Pero a su vez *nárdos* y *nardus* derivan de la voz bíblica *nerd* que significa lo mismo (Cantares, 1, 12; 4, 13; 4, 14).

Niño. El Diccionario de la Academia deduce *niño* de *menino.* La insostenibilidad de esta etimología salta a la vista. *Niño* deriva de la voz bíblica *nin* que significa hijo, descendiente y niño (Génesis, 21, 23; Job, 18, 19; Isaías, 14, 22). *Niño,* en catalán es *nin.*

Paila (vasija grande de metal, redonda y poco profunda). El Diccionario de la Academia deduce *paila* del latín *patella,* padilla. *Paila* deriva de la voz postbíblica *pailá,* que significa jofaina, palangana.

Patilla (porción de barba que se deja crecer en cada uno de los carrillos). El Diccionario de la Academia pretende que *patilla* es diminutivo de *pata. Patilla* deriva de la voz bíblica *peah, peat,* plural *peot,* que significa punta, extremo, patilla (Levítico 19, 27; 21, 5).

Pismón (copla, canción, himno, oda). Hallo esta voz en el *Cancionero de Baena,* Madrid, 1851, p. 113, col. 2, en un "dezir" de Alfonso Álvarez de Villasandino contra Alfonso Ferrandes Semuel. Deriva de la voz postbíblica *pizmón.*

Pizca (porción mínima o muy pequeña de una cosa). El Diccionario de la Academia deduce *pizca* de *pizco,* pellizco, y *pizco,* de ninguna parte. *Pizca* deriva de la voz postbíblica *piscah,* que significa trozo, fragmento, pasaje, párrafo, versículo, verso, porción pequeña de una cosa, pizca.

Recova (paraje público en que se venden las gallinas y demás aves domésticas: cubierta de piedra o fábrica que se pone para defender del temporal algunas cosas: en la Argentina según la definición de Garzón[91], corredor o galería que da a la calle o a una plaza, delante de una fila de casas de negocio[92], y, según la definición de Segovia[93], corredor cubierto por un techo, apoyado, en columnas, que tienen ciertos edificios en vez de una simple acera). El Diccionario de la Academia deduce *recova* del árabe *récub,* cabalgata, caravana. *Recova* deriva de la voz bíblica *rejov,* plural *rejovot,* que significa espacio amplio, lugar espacioso, plaza, calle y ruta (Jueces, 19, 20; 2 Crónicas, 32, 6; Nehemías 8, 1; Cantares, 3, 2; Trenos, 4, 18).

Rifa (contienda, pendencia, enemistad), *rifar* (reñir, contender, enemistarse con uno). El Diccionario de la Academia deduce *rifa* del alemán *riffen*, rapiñar. Pero ni *rifar* es rapiñar, o sea robar, ni robar se dice en alemán *riffen*, sino *rauben,* ni en alemán existe *riffen*. *Rifa* y *rifar* derivan de la voz bíblica *riv*, que significa, como sustantivo, disputa, pendencia, riña, discordia, diferencia, contienda, querella, litigio, pleito, proceso, juicio, causa (Génesis, 13, 7; Éxodo, 23, 3; Deuteronomio, 17, 8; 25, 1; Jueces, 11, 25; 12, 2; Job, 31, 35; 33, 13; Salmos, 43, 1; Isaías, 41, 21, Jeremías, 15, 10; 51, 36; Trenos, 3, 58), y, como verbo, disputar, combatir, reñir, contender, castigar, litigar, debatir, pleitear (Génesis, 31,36; Deuteronomio, 33, 8; Nehemías, 13, 25; Job, 10, 2; Salmos, 43, 1; Isaías, 50, 8; 51, 22; Jeremías, 51, 36; Oseas, 4, 4).

Saca. El Diccionario de la Academia deduce *saca* de *saco*, y, según ya sabemos, *saco* del latín *saccus,* que jamás tuvo el sentido de costal o saca. Hemos visto más arriba que para Valdés "*saco* por costal o talega es hebreo". Ahora bien: quien dice *saco,* dice también *saca;* y en efecto el manuscrito escurialense I-j-3, cuya letra es del siglo XV y cuyo texto, mas viejo aún, sigue fielmente el original hebraico, vierte por *saca*, ya mucho antes de Valdés, el hebreo *sac*, que aparece en Génesis, 42, 35 [94].

Sota (mujer insolente y desvergonzada). El Diccionario de la Academia deduce *sota* del latín *subtus*, debajo. *Sota* deriva de la voz postbíblica *sotah*, que significa mujer desordenada, mujer sospechada de infidelidad conyugal, mujer infiel, mujer adúltera, y que da nombre a un tratado del Talmud.

Tapujo (embozo o disfraz con que una persona se tapa para no ser conocida; reserva o disimulo con que se disfraza u oscurece la verdad). *Tapujo* deriva de la voz bíblica *tahpujah*, plural *tahpujot*, que significa trueque, cambio, transformación, alteración, trastorno, subversión, perversión, perversidad, falsificación, falsedad, mentira, engaño (Deuteronomio 32, 20; Proverbios, 2, 12; 2, 14; 10, 32).

8. El romance, tanto peninsular como americano, contiene, en resolución, buen número de hebraísmos, algunos de los cuales son conocidos o pseudoconocidos, en tanto que muchos otros son desconocidos en absoluto, constituyendo verdaderos criptohebraísmos.

Si este modestísimo ensayo llamase la atención de los especialistas, si les inculcase la sospecha de que existe una influencia ignorada o por lo menos sobremanera superior a la conocida del hebreo sobre el romance, si los convenciese de que es preciso, para completar el conocimiento de nuestro idioma, investigar seriamente esta influencia, y si los indujese a realizar investigación tan fructuosa, mi esfuerzo de iniciador quedaría recompensado plenamente.

Buenos Aires, noviembre de 1937

Poesía de Carlos M. Grünberg

Las cámaras del rey

(1922)

YO

Tú me reconstruirás. Mira mis flojos
Huesos, como pedúnculos florales,
Y mis blancos tendones y mis rojos
Músculos, como pétalos carnales.

Y en su harmoniosa confusión, la extraña
Máquina de mis nervios halagüeños,
Oculta en mi jardín como una araña
Que tejiera las telas de mis sueños.

PORQUE

Me preguntó el amigo de los ojos risueños
El porqué de mis cantos, el porqué de mis sueños.

Entonces inspiróme la altura donde erige
El viento sus caprichos de nubes y le dije:

—Sueño porque, siguiendo caminos invisibles,
El pensamiento mío se me va en imposibles,

De la misma manera que, a medida que sube,
El agua de la Tierra se va trocando en nube;

Canto porque mis sueños han llegado a ser tantos,
Que se convierten casi sin yo quererlo en cantos,

De la misma manera que, cuando está impregnada,
Se precipita en lluvia la nube condensada.

PALABRAS

Hay mutilados de la poesía
Que conciertan los números dispersos;
Con el concurso de la geometría,
Quieren hacer poesía y hacen versos.

Víctimas son de su infantil simpleza,
Pues estos delicados organismos
Sólo por la emoción y la belleza
Nos sobreviven a nosotros mismos.

Yo que me elevo a cúspide más noble,
Yo que me impongo más difícil norma,
Impregnaré mis versos en el doble
Misterio de la vida y de la forma.

Me daré sentimientos y pasiones,
Y con desprecio de la vana mofa,
Musicalizaré mis emociones
Dentro del pentagrama de la estrofa.

Desplegaré feliz magnificencia,
Intensificaré hasta lo inefable
Mi sensibilidad, mi inteligencia;
Potenciaré mi ser innumerable.

Así yo mismo encontraré la pauta,
Y mis canciones, que el dolor inspira,
Diré en los agujeros de la flauta
De cañas y en las cuerdas de la lira.

Y cuando cante así, vendrán las gentes,
Y, presas de mi labio o de mi dedo,
Escucharán, en círculo, fervientes;
Como en los tiempos del antiguo aedo!

TRISTEZA

No clamo aquí, con infeliz querella,
Por causa de mi vida malherida,
Que, a la verdad, mi vida es harto bella
Siendo, como es, inteligencia y vida.

Yo conocí el dolor desde temprano,
Y supe, en la hora de la dicha estulta,
Que el miedo del placer se da la mano
Con el dolor que del dolor resulta.

Mas lo que hirió mi corazón artista
Con inflexible precisión violenta,
Fue la maldad del hombre, la imprevista
Maldad que el hombre por el hombre alienta.

Así murió mi lírico optimismo,
Mi espontánea alegría de poeta,
Y en su lugar, me dio, contra mí mismo,
La seriedad su estúpida careta.

Después, sabiendo el ansia venenosa
Con que me morderían los perversos,
Utilicé, constante, a mi preciosa
Voluntad como rienda de mis versos.

Por su culpa, evité las expresiones
Ingenuas y sencillas como trinos:
Los balbuceos de las ilusiones,
Los enternecimientos repentinos.

Sean, por eso, anatematizadas
Sus almas, y con bélicos rechazos,
Caigan sobre ellos mis acompasadas
Rimas, como terribles martillazos!

LA PESADILLA

Era una tierra lisa como un mapa,
Cuyo inmóvil ambiente había muerto.
Yo estaba solo bajo aquella tapa
De plomo, en aquel lúgubre desierto.

Sufría mucho, y mi dolor crecía
Como un árbol dorado y refulgente
Alrededor del cual se retorcía
Todo mi cuerpo como una serpiente.

Y comencé a crecer, y vi, suspenso,
Que mi sombra salía del planeta
Y, prolongada sobre el cielo inmenso,
Parecía la cola de un cometa.

Y creció enormemente mi cabeza,
Y mis cabellos, que a la par crecieron,
Pujaron hacia el sol, como una gruesa
Tarántula, y subieron, subieron;

Y lo alcanzaron, y enredaron, y entre
Todos, ensombrecieron sus destellos;
Y el sol se revolvía como el vientre
De un pulpo, entre mis ágiles cabellos!

Entonces tuve miedo ante mí mismo
Y miedo de volver sobre mis rastros,
Y di un grito de guerra en el abismo
Y me precipité sobre los astros.

LA FUENTE

Es la pequeña fuente de un pequeño
Jardín, en cuya hondura misteriosa,
Suele abismarse, lánguido, mi ensueño,
Como desnuda virgen temblorosa.

Sencillo surtidor la hace más bella,
Y entre una vaga atmósfera de olores,
Sus grandes hojas y sus grandes flores
Abren varios nenúfares en ella.

Se atrista ya, con suavidad ignota,
la Tierra, como un mínimo corpúsculo,
En este instante en que sobre ella flota
El azul estridente del crepúsculo;

Y como, en esto, en su marmórea taza,
El surtidor, efímero, se azora,
Me parece escuchar que el cielo llora
En el jardín obscuro de la casa.

Entonces, arredradas por la umbría,
Las flores, con pausado movimiento,
Se empiezan a inclinar bajo la fría
Superficie del líquido elemento;

Mientras caen, con vértigo inaudito,
Estrellas de oro en el azul flagrante,
Como desnudas gotas que en brillante
Rocío, derramara el infinito.

Seguidamente, en mágica fortuna,
Su fiel reflejo, que en la fuente incide,
Tiembla, convulso; al propio tiempo que una
De ellas con un nenúfar coincide.

Ante este cuadro, que ningún problema
A otro espíritu, acaso, ofrecería,
mi alma, en ferviente rapto de poesía,
Se sumerge en ilógico dilema.

Porque, en verdad, no sabe, temerosa,
Si, en el destino de la flor aquella,
Lo que la hunde es el agua que rebosa
De ella, o el peso de la fiel estrella.

Tal como yo, que en singular empeño
Me voy muriendo así, sin que decida
Si es que me aplasta el agua de la vida
O la estrella remota del ensueño!

NIRVANA

Desde el sofá de mi apacible estancia,
El humo azul que exhalo, satisfecho,
Sube, como una mística fragancia,
A los pintados ángeles del techo.

El rumor de las calles, atenuado,
–Que preciosa distancia lo amortigua
Llega como una voz de lo pasado
Que suscitara una emoción antigua.

La hora inefable, con sutil influjo,
Me remonta a mi patria verdadera,
Y en la quietud de un ángulo, dibujo.
Una mujer de ensueño y de quimera.

Inmóvil, de perfil, inclina el cuello
Cual si atisbara una interior hondura,
Y por sobre los hombros, el cabello
Se le derrama en onda de frescura.

Así suspensa de su etérea psique,
Sobre el pecho gentil la mano hueca,
Y se le ve la curva del meñique
Prolongarse y morir en la muñeca.

Baja su pie a la alfombra, mas con tanto
Candor, que no se observa si la toca,
Y todavía, para más encanto,
Surge el silencio como de su boca.

En la inerte postura en que se muestra,
Con lentitud pausada la contemplo,
Y su inmovilidad de obra maestra
Le infunde algo de estatua, algo de templo.

Después, tal como un astro que describe
desde la eternidad su órbita añeja,
Mi inconsciente mirada circunscribe
Sin cesar, el contorno de su oreja.

Y ese imantado círculo persiste,
Y absorbe mi atención de tal manera,
Que cuando vuelvo en mí, sólo él subsiste
De la mujer de ensueño y de quimera.

Todo a mi alrededor parece muerto
En una soledad desamparada,
Y otra vez, en mis éxtasis, advierto
Que la felicidad está en la nada.

EL CANTO DE LAS CALLES

Canto, con desigual
Relieve en los detalles,
El canto de las calles
De mi ciudad natal.

De la ciudad de daños
Y ensueños que yo sé.
De la ciudad donde he
Vivido mis veinte años.

Canto calles rientes
Y calles dolorosas,
Donde se ven mil cosas,
Mil cosas diferentes.

Donde alzan su maraña
Los cables intranquilos,
Que son como los hilos
De una tela de araña;

Tela en cuyas constantes
Maquinaciones foscas,
Suelen caer, cual moscas,
Los pobres caminantes.

Donde, con turbio anhelo,
Las rectas balaustradas
Que hay sobre las fachadas
Geometrizan el cielo.

Donde, en afín desgaire,
Los focos de tranquilas
Luces, parecen filas
De lunas en el aire.

Donde, con eficacias
Umbrosas y ligeras,
Se alargan dos hileras
de plátanos o acacias.

Donde abren los buzones
Sus bocas desdentadas,
Que están como extasiadas
En hondas digestiones.

Calles donde, en obscuras
Olas, uno ve gentes
De las más diferentes
Y extrañas cataduras.

Las damas que son momias
Saneadas por el pomo,
Y que desfilan como
Semovientes tricromías.

Y la fresca muchacha
Que del taller retorna
Con la pintada sorna
De su faz vivaracha.

Y la grácil doncella,
De rostro delicado,
Que deja un atenuado
Perfume detrás de ella.

Y el joven que delata,
Con ostensibles modos,
El afán por que todos
Admiren su corbata.

Y los estrafalarios
Y buenos canillitas,
Que en formidables gritas
Pregonan los diarios.

Y el sencillo cartero,
Que apresurado pasa
Y que de casa en casa,
Cumple su derrotero;

Y cuya diligente
Misión sólo entendimos
El día en que tuvimos
A nuestra novia ausente.

Y los mansos aurigas,
De sumisos modales,
Que aman, por serviciales,
Las parejas amigas.

Y el militar agente,
Que, apostado en la esquina,
El tráfico domina
Inteligentemente;

Y que adopta, con vana
Pulcritud, su manera,
Como si dirigiera
La orquesta ciudadana.

Calles en cuyas dobles
Series de frontispicios,
Se yerguen edificios
Miserables y nobles.

Palacios en que, ahíto,
El ojo, que se arredra,
Ve gigantes de piedra
Sobre pies de granito.

Profundas librerías,
Donde los adyacentes
Libros, son como dientes
De las estanterías.

Florerías que advierte,
Con emoción intensa,
El soñador, que piensa
En la vida y la muerte.

Soberbias joyerías,
Donde, con tercas llamas,
Se acaloran las damas
Por unas gemas frías.

Farmacias anchurosas,
En cuyos interiores,
Flota el alma hecha olores
De substancias virtuosas.

Vidrieras de anticuario,
Donde se exhiben, prietos,
Confundidos, objetos
Del carácter más vario.

Cafés donde, en la hora
Del estival rescoldo,
Genera cada toldo
Calor de incubadora.

Abundosos mercados,
Donde, en copias lozanas,
Los cachos de bananas
Aparecen colgados.

Lecherías astrosas,
Donde, a horas señaladas,
Gentes desarrapadas
Comen horribles cosas.

Sórdidos conventillos,
Cerca de cuyo inerte
Umbral, su ocio divierte
Un corro de chiquillos.

Amo el diverso encanto
De esas calles joviales
Y tristes, por las cuales
He caminado tanto.

Y las frías y bellas
Auroras, en que el cielo,
En un largo deshielo
De luz, se vierte en ellas.

Y el atractivo sumo
De las calles que puebla
De vez en vez la niebla
Como un pesado humo.

Y las lluvias que, a modo
De alfileres pulidos,
Caen, con densos ruidos,
Acribillando todo.

Y el diurno desvelo
De la luna, que sella,
Cual la rápida huella
De un dedo, el claro cielo.

Y los viejos pasajes,
Como aquí son llamadas
Esas calles cortadas
Que hay en ciertos parajes.

Y las calles obscuras,
Donde no se proyecta
Más luz que la luz recta
De las casas impuras.

Tal es, en la pequeña
Copia de sus detalles,
El canto de las calles
De mi ciudad porteña.

De la ciudad que en daños
Y ensueños me hizo listo,
De la ciudad que ha visto
La flor de mis veinte años.

Mi corazón, empero,
Se siente vagabundo,
Y por el ancho mundo,
Me llama, tesonero.

Con ansias venturosas,
Quisiera haber huido
El imposible ruido
De las urbes grandiosas.

En mis andares, voy
Por la ciudad inquieta,
Y sin querer, poeta
De las ciudades soy.

Quién me diera cantar,
Como canté las calles,
El canto de los valles
O el canto de la mar!

LA OJEROSA

En esta noche azul, en que la luna
Suscita delicadas emociones,
Acudo a tus ojeras, que son una
Confidencial penumbra en los salones.

Tus ojos, frente a las escrupulosas
Pompas de vanidad que te revisten,
Miran desde muy lejos y ven cosas
Invisibles o cosas que no existen.

Y cuando te conmueven los pianos
Y tu mirada hipnótica se abisma,
Diríase que piensas en lejanos
Misterios; pero piensas en ti misma.

Oh las noches que tu índice especioso,
Anticipando el ignorado amplexo,
Turba, como un insecto peligroso,
El capullo astringente de tu sexo;

Y tu jugosa carne de doncella,
Que estará pronto mustia y dolorosa,
Cual si los nervios, arraigando en ella,
Te sorbieran la sangre generosa!

Triste de ti que anhelas ser amada
Y que, por incapaz de rebeliones,
Como a un carro triunfal te ves atada
A los prejuicios y a las convenciones.

Y sin embargo, es tiempo todavía;
no eludirás mi erótica asechanza;
Vendrás; yo daré fin a la agonía
De tus ojos enfermos de esperanza.

Porque yo soy quien ve bajo la seda
Y ve claro en tu espíritu inconexo;
Y te imagino así: como una rueda
Cuyo eje es tu sexo!

COQUETA

En la tertulia, donde aterciopelas
El dubitable encanto que prometes,
Brillan las joyas de las damiselas
Y las cabezas de los mozalbetes.

Te forman, tiempo ha, los más galantes,
Rueda cortés que nunca se desbanda,
Como nutrida copia de incesantes
Moscas alrededor de una vianda.

Y tú no sabes, por inadvertida,
Que en el roce que entraña esa presencia,
Va quedando, sin lástima, adherida,
Como un polvillo de oro, tu inocencia.

Ni todavía más que por los dejos
De semejante roce, te desdora
Una insípida turba que bien lejos
De sospecha, en mis planes colabora.

Tu corazón, que en repetida escena
Das al flirt, me sugiere (oh, casi nada!)
La taza de la fuente, siempre llena
De un agua siempre siempre renovada.

Pero de las sonrisas que prodigas,
Las que son para mí se hacen más bellas,
Como el viento que dobla las espigas
Pone más ímpetu en algunas de ellas.

Por eso sé que una atracción remota
Une a los dos, y que, si la aprovecho,
Ha de serte fatal, como una gota
Constante sobre el mármol de tu pecho:

A veces, no lo olvido, me rehuyes,
E interponiendo salvador obstáculo,
En tu aleve pureza te recluyes
Como pálida flor en su invernáculo.

Pero terminarás por doblegarte
A la perfidia de mi amor certero.
Desplegaré maravilloso arte,
Arte maravillosamente artero.

Así tendré la sideral fortuna
De conquistar, por mi amorosa fragua,
Tu sexo, luminosa media luna
Que descuella en el cielo de tu enagua.

Y, símbolo de glorias adquiridas,
Te dejaré las huellas de mis besos,
En estigmas perpetuos a ti unidas,
Como nudos del árbol de tus huesos!

AMOR NIÑO

Precoz en el amor y pesimista
Cuando prometo amarte en lo futuro:
Así te muestras, en tu instinto obscuro,
Para rendir mi corazón artista.

Dulce es tu pesimismo y no contrista
—Antes torna mi amor más noble y puro—,
Y tu precocidad es un seguro
Signo de que tu alma es idealista.

Yo también soy precoz en mi cariño
Y pesimista; y pues se vuelve niño
El hombre al fin de sus mejores años,

Nosotros, cuando viejos, volveremos
A la precocidad, y a ella uniremos
El pesimismo de los desengaños.

1917

FATALIDAD

Oh el día en que yo sienta que mi amor ya no existe,
Como si el corazón se me hubiera perdido!
Callaré y mantendré, para no verte triste,
Entre sombras y lágrimas mi secreto escondido.

El mismo corazón que, por blandos azares,
Sube hoy hasta mi boca y habla como una lengua,
No te habrá dicho entonces, para mengua
De mis orgullos, más que palabras vulgares.

Y en vano evocaré lo que evoca tu nombre,
Para que mi amor viejo reviva entre los dos,
Porque el cerebro tiene la lógica del hombre
Y el corazón la lógica de Dios.

Y así, yo quiero ahora morir sobre tu lecho,
Y sentir, en un fácil desvarío,
Caerse mi cabeza de tu pecho
Como un mundo que rueda en el vacío.

I
OCASO MARINO

Remueve el mar, con reposado ruido,
Linfas grises y azules, cual si fuera,
En su enorme extensión, vasta caldera
Llena de hirviente plomo derretido.

Y sus olas, con lánguida molicie,
Alzan las crestas, y uno piensa en seres
Ocultos que, con sendos alfileres,
Dieran puntadas en la superficie.

Mientras en los confines de la rada,
Desciende el sol, que finge, en el desdoro
De su aureola de luz, el botón de oro
De una gran margarita deshojada.

II
OCASO CAMPESINO

Ya hundióse el ígneo sol, flagrante;
Mas desde su cósmica hondura,
Aún embandera, triunfante,
El edificio de la altura.

Y así está, en prolongado anhelo,
A pesar de que el día cierra,
Bañando las tierras del cielo
Desde otro cielo de la Tierra.

Sopla, con leves sacudidas,
El viento, en golpes indecisos;
Tiemblan, a ratos conmovidas,
Las hojas de los paraísos.

Y apágase el cielo, y parece,
A la última luz del tramonte,
Que la pradera se adormece
En los brazos del horizonte.

III
OCASO EN LA CIUDAD

Con lentitud de miel, en el lindero
De la calle, declina el sol poniente,
Como si descendiera largamente
Por la garganta de un desfiladero.

Y el tranvía que viene, en la oportuna
Hora, hacia mí, del fondo del paisaje,
Finge raro vehículo en viaje
Desde el país del sol al de la luna.

IV
OCASO EN LA ESTANCIA

Como la tarde presta sus fulgores
A la lectura en que harmonioso vibro,
De una en una las horas de colores
Iluminan las páginas del libro.

La hora sombría, imperceptiblemente,
Invade ya la habitación desierta.
Con igual lentitud, cubren mi frente
Hondas arrugas, sin que yo lo advierta.

Hasta que al fin desharmonioso vibro,
Y en la renuncia de mi afán, diría
Que por sobre las páginas del libro
Ha cerrado sus párpados el día.

V

NOCHE MARINA

Como chispas azules desprendidas
Hacia lo alto en medio de la noche,
Arde un millón de estrellas encendidas
En claros puntos con fugaz derroche.

Mientras abajo el mar líquido estruendo
Con el empuje de sus olas fragua,
Como si lo estuvieran percutiendo
Innumerables cántaros de agua.

VI

NOCHE CAMPESINA

Suspenso en actitud semidormida,
Sólo un molino se alza en la pradera,
Como una torre sobre la que hubiera
Descendido una estrella en su caída.

Y bajo el astro de color de plata,
Es tersa leche el agua en la laguna,
Y su ondulante superficie es una
Móvil urdimbre de rugosa nata.

VII
NOCHE EN LA CIUDAD

Con su triste mirada siempre despierta,
Los focos, alineados y separados,
Iluminan la calle casi desierta
Como siniestros ojos desorbitados.

Y las sombras nocturnas, sombras perplejas
En el adusto ceño de sus enojos,
Culminan sobre aquellos siniestros ojos
Como torvas, tupidas, obscuras cejas.

VIII
NOCHE EN LA ESTANCIA

Allá sobre los techos que frente a frente
Con mi balcón, le ofrecen nocturna escena,
Solevanta su disco resplandeciente,
Como un botón de nácar, la luna llena.

Y su luz, como un largo lápiz, dibuja,
A medida que sube, redonda y bella,
Sobre la superficie de una botella,
Un ilusorio lienzo que la arrebuja.

IX
ALBA MARINA

Ya el cielo, a quien, del este al oeste,
Surcó la primer claridad,
Semeja una tela celeste
Descolorida por la edad.

El mar, que estaba obscuro, en esto,
Se abre y aclara como un tul,
Y uno no sabe si se ha puesto
Verde o azul, verde o azul.

Y el día apresura sus fraguas,
Y la creciente luz del sol
Culebrea sobre las aguas
En esquiveces de alcohol.

Y la luz sigue acribillando
El cielo, como un arcabuz,
Y el mar se muestra tibio y blanco,
Y el mar está lleno de luz.

Y las luces del mar persisten
Cada vez más en fulgurar,
Y se diría que coexisten
El mar y un incendio en el mar.

X

ALBA CAMPESINA

Como si fuera el cielo una campana
Que elevara su borde en el oriente,
Una diluida claridad lejana
Se ha insinuado por él furtivamente.

Calla el espacio con callar sonoro,
Algo espeluzna a los obscuros campos,
Y lentamente, los primeros lampos
Se alzan sobre ellos como estambres de oro.

Entrecierra su broche azul estrella,
Forja ancha nube coniforme grumo,
Y parece, de pronto, que por ella
Huye la noche en espiral de humo.

Y ya, por fin, con místico sosiego,
Por sobre el horizonte, clara faja
De luz, extiende su color de paja
A la invasión de otro color de fuego.

El libro del tiempo

(1924)

El tiempo es la imagen móvil de la eternidad.

Platón, *Timeo.*

A Judit, mi madre.
A Mardoqueo, mi padre.

INTRODUCCIÓN

He aquí, lector, el anunciado libro.
El móvil tiempo me inspiró su asunto;
Del tiempo tuve cómo darle punto;
Al tiempo, en fin, y a su sanción lo libro.

Libro del tiempo lo llamé por eso;
¡Y cuánto un libro el tiempo merecía,
Germen, como es, del arte y la poesía
Por el sublime afán que nos ha impreso!

Cárcel de llanto, cárcel de amargura
Es la del tiempo, donde el hombre vive;
Pero él, rebelde en su dolor, concibe
La negación del tiempo y la procura.

Para ello, elige de entre el mundo externo
Una forma fugaz y la fascina;
Y de este modo, que es el arte, inclina
Lo temporal, si cabe, hacia lo eterno.

¡Mira un atardecer de primavera!
¡Cómo te llega al alma y te conmueve!
Pero sería pasajero y breve
Si en la obra de arte no permaneciera.

Sé, pues, feliz; y, en este mundo adverso,
Jamás, rendido, te descorazones,
Sabedor de que a él te sobrepones
En la estatua, en el cuadro o en el verso;

Ya que el arte, lector, es el hechizo
Con que se fija la fugacidad;
Con que yo, por ejemplo, inmovilizo
El móvil tiempo y lo hago eternidad.

A UNA AMPOLLETA

Inscripta en su armadura de frágiles maderas,
Arde, a la luz, tu dúplice ampolla cristalina,
Opulenta de pechos, redonda de caderas,
Espiritualizada de gracia femenina.

De tu ampolla eminente, que hace de embudo, fluye
Un hilillo de arena con ritmo regular;
Crece la arena abajo y arriba disminuye
y el intermedio hilillo perdura sin cesar.

Este hilillo que fluye de tu ampolla eminente
Consta de innumerables gránulos diminutos;
Pronto llenarán todos la ampolla subyacente
Y habrán, al cabo de ello, pasado diez minutos.

Diez minutos de arena; que, así como de arena,
Los hay de agua, de música, de placer, de dolor...
Para medir el tiempo, cualquiera cosa es buena;
Empero, la medida de arena es la mejor.

Pues aunque, como el tiempo, fluyan todas las cosas,
La arena, sin embargo, fluye más que ninguna:
Todas el paso, a veces, retardan, perezosas;
La arena sigue siempre, dócil a su fortuna.

La arena de los ríos, la arena del desierto.
Nada con las corrientes, vuela con el simún;
Pasa eterna, constante, sin oasis ni puerto;
Ella y el tiempo sufren un destino común.

He aquí, reloj de arena, cómo tú el tiempo mides
Merced a una substancia que es tiempo substanciado:
He aquí cómo, por alto motivo, tú presides
Los diversos relojes que el hombre ha imaginado.

Reloj de arena, ampolla de dúplice turgencia
Donde un hilillo fluye con ritmo regular:
Reloj de los relojes, reloj por excelencia;
Tal es el justo nombre que te debieron dar.

EL RELOJ DE CUCLILLO

A Agustín Millares Carlo

Sobre los dulces engaños
En que creí de chiquillo,
Se alza un reloj de cuclillo
Que hoy, por obra de los años,
Yace, roto, en un altillo.

Su caja entonces fingía
Un levantado castillo
En que se abría un portillo
Por cuyo hueco salía
Para cantar el cuclillo.

Pájaro que apenas canta,
Hoy comprendo que el cuclillo
Me hizo poeta y sencillo:
Poeta, con su garganta;
Sencillo, con su estribillo.

El me enseñó que la hora
Se dora de un raro brillo
Si la dora un pajarillo,
Si un pajarillo la dora
Como la dora el cuclillo;

Y que la sapiencia humana
Conduce a amar el cuclillo,
A amar la nota del grillo,
La sílaba de la rana,
El canto del caramillo…

Así, si en la selva negra
O en el trigal amarillo
Me exalto y me maravillo,
Mi corazón, que se alegra,
Se lo agradece al cuclillo;

Pues acude a mi memoria
Aquel reloj de cuclillo
Que me dio, ya de chiquillo,
La doble lírica gloria
De ser poeta y sencillo.

NOCHE DE LLUVIA

A Mauricio Nirenstein

¡Cuán grato el caminar bajo esta lluvia
Que cae en un caer pulverulento,
Y el respirar los átomos que efluvia
Como una flor de lodo el pavimento!

Echan los focos luz desde lo alto;
Y se diría, de la dócil hoja
De agua que moja el regular asfalto,
Que ella también, pero en la luz, se moja.

Allende el marco de la opuesta acera,
Plátanos paralelos a los muros
Erigen con sus copas una hilera
De movidos losanjes verdeobscuros.

Una anchurosa ráfaga de hielo
Taladra el circunstante desamparo.
En su temible gravidez, el cielo
Es de un azul sombríamente claro.

Después, la lluvia, súbito inclemente,
Se corporiza en hilos verticales,
Y deja oír, en el cercano ambiente,
Como un golpear de piedras musicales.

Ya con mi placidez acidulada,
Corro al umbral de una vecina puerta;
La calle, a lo fatal abandonada,
Parece ahora más que nunca abierta.

Del cielo claro y a la par sombrío,
Vuelcan así las aguas nebulosas
Un desatado, interminable río
Al través de tinieblas pavorosas;

Y, hasta que enjugan su raudal sonoro,
Sufro en el alma con dolor profundo,
Pues se me antoja, aunque la causa ignoro,
Que está lloviendo sobre todo el mundo.

TARDECITA DE VERANO

Mirando estoy, en prolongado anhelo,
Cómo remueve con amor de artista
El invisible viento ajedrecista
Las blancas nubes del celeste cielo;

Y cómo pace el vagabundo toro
De la vacada, que se inclina y muerde
Los exquisitos tréboles del verde
Campo cebrado hasta el confín de oro.

Conque frente a la rústica belleza,
Me aletargo en un éxtasis de calma
Durante el cual penetran en mi alma
Los colores de la Naturaleza;

Hasta que me interrumpe con certero
Grito un gallo que va por el camino
Con su barbado rostro de rabino
Y su enérgico andar de mosquetero.

PLÁTANOS INVERNALES

A Alberto Gerchunoff

¡Qué tristes son en la estación de invierno!
¡Cómo nos manifiestan, a lo largo
De las calles sumidas en letargo,
Que únicamente es el cambiar eterno!

Pues la fugacidad a que obedece
El mundo, que sin fin se transfigura,
Es, bien mirada, lo que en él perdura,
Lo inalterable y lo que permanece.

Quién sabe qué aguijones los avispan,
Porque, en retorcimientos casi humanos,
Sus saqueados ramajes fingen manos
Que a un tiempo mismo imploran y se crispan.

Bajo el dolor de las ausentes hojas,
Que ha poco les prestaban opulenta
Sombra ya azul, ya gris, ya amarillenta,
Sus troncos se sombrean de congojas.

Aunque jamás tuvieron sino nudos,
Hoy que el fatal invierno los castiga
Hosca desolación los desabriga
Y uno los ve, si cabe, más desnudos.

Ya no se enhiestan como ayer, soberbios;
Manchan su palidez tonos de azufre;
Su sensibilidad, extraña, sufre;
Y así parecen médulas o nervios.

Mantienen su aire lastimoso y rígido
Que los dispone en lamentable serie;
Soportan sin descanso la intemperie
Hasta que los azota un viento frígido.

Entonces, algo inmenso los aterra;
Y aguzan los esfuerzos casi humanos
De las raíces, que son nuevas manos
Que hunden sus luengos dedos en la tierra.

IMPRECACIÓN

A Leopoldo Lugones

Sobrehumano Señor: yo te maldigo
Por el ser deleznable que me diste;
Toda la Creación será testigo
De la injusticia que conmigo hiciste.

Me sepultaste en este bajo mundo
Para que conociese la amargura;
Para que desterrado en mi profundo
Abismo viese tu estrellada altura.

A ti la eternidad y el regocijo;
Al hombre el tiempo y la desesperanza;
¡Y aún pretenden que te sea un hijo!
¡Que te perdone la desemejanza!

Si eres tan grande, no debiste nunca
Crear un hijo que inferior te fuese;
¡Por cada ser, por cada vida trunca,
Tu grandeza, Señor, se empequeñece!

La eternidad es mi constante anhelo;
La eternidad es mi ansia inextinguible;
¡Y todavía me pusiste el cielo
Para que en él la viese inaccesible!

Por tu arbitrariedad, Señor, le falta
Al hombre todo lo que a ti te sobra;
¡En tu mansión esplendorosa y alta,
Puedes sentir vergüenza de tu obra!

SABIDURÍA

A Francisco Capello

Mujer: yo nunca pido nada
Que no sea fugacidad.
Yo pido un beso, una mirada;
Nunca un amor de eternidad.

La eternidad, lo perdurable,
Lo duradero, sólo son,
En nuestra vida miserable,
Cosas de la imaginación

Mujer, mujer: ¿y mi experiencia?
¡A qué el delirio de jurar,
Si nada tiene permanencia,
Si todo tiene que pasar!

Yo no te pido que me engañes
Con las palabras del amor;
Yo no te pido que me dañes
Con la ilusión de lo mejor;

Yo no te pido sino un beso,
Una mirada, lo fugaz;
Yo no te pido sino eso;
Yo no te pido nada más.

ORACIÓN

Para mi padre

Esta oración de gracias a mi padre
Tiene que ser viril, gallarda, pura;
Tiene que ser así para que cuadre
A la expresión de mi filial ternura.

¡Feliz, feliz de mí que la improviso!
¡Feliz, feliz de mí que la levanto!
¡Que la levanto a él en el preciso
Día en que más naturalmente canto!

Hoy siento que el vivir es una gloria;
Hoy siento que el nacer fue mi fortuna;
Hoy bendigo la esencia transitoria
Del mundo y lo hago sin violencia alguna.

Gracias, padre que un día decidiste,
Sin duda con intenso regocijo,
Aunque sabías que la vida es triste,
Embellecer tu casa con un hijo.

Gracias, señor, por esta vida bella;
Gracias, señor, por esta vida mía;
Gracias por el jazmín y por la estrella,
Por el amor y por la poesía.

Gracias también por el dolor que en vano
Me quisiste evitar y que tan bueno
Me ha hecho, y tan profundamente humano,
Y tan noble y jovial, y tan sereno.

¡Gracias, padre y señor; y que, en florida
Vejez compuesta de años venturosos,
Vuelvas a ver tu casa embellecida
Por hijos míos, fuertes, numerosos!

LA VIDA RETIRADA

Para Jacobo Fijman

¡Cuán deleitables años
Los del que sigue en la paterna casa,
Y vive sin engaños,
Y sabe que sin tasa
Lo aman los seres por los que él se abrasa!

No me enseñéis el mundo
Tras de cristales de color de rosa;
No me habléis del profundo
Encanto de la esposa
Buena y sencilla, cándida y graciosa.

A mí sólo me place,
En las tremendas noches del invierno,
Ver cómo se deshace
Un oloroso y tierno
Leño en la estufa del hogar paterno;

Hogar en que el bullicio
Humano suena tan sutil, que asombra;
Como por un resquicio,
Como una leve sombra,
Como un paso apagado por la alfombra;

Hogar en que mi madre
Da paz con el blancor de su cabello;
Hogar en que mi padre
Da luz con el destello
De su mirada, cariñoso y bello.

Yo que en los bonancibles
Valles adiviné el máximo agrado,
Me quedo en las temibles
Ciudades, resignado,
Con tal de no apartarme de su lado.

Yo adoro lo campestre
De todo corazón; yo, con dulzura,
Adoro lo silvestre;
Pero fuera locura
Abandonar por eso mi ventura.

Ajeno a los desvíos
De quienes buscan términos lejanos,
Quiero estar con los míos.
Quiero besar las manos,
Ya de mis padres, ya de mis hermanos.

¡Oh amigo de mi alma,
Sediento de aventuras singulares!
¿No te es mejor la calma
De los antiguos lares,
Allá junto a los seres familiares?

Piensa en el triste día
En que tus pies estén blandos y flojos:
¿Qué diligencia pía
Te librará de abrojos
Las sendas y de lágrimas los ojos?

Aquí entre mis paredes,
Conocedor de la verdad sincera,
Logro eludir las redes
Que me dispone afuera,
Vana y falaz, la lengua lisonjera;

Aquí, sordo al renombre,
Envuelto en mi honradez y en mi decoro
Como cualquier otro hombre,
Saboreo el tesoro
De mi feliz mediocridad de oro;

Y, ya que mi contento
No puede ser total, sólo me aflijo
Por el fatal momento
En que en mi hogar de fijo
No existan ya los que hoy me llaman hijo.

DOLOR

Hay quienes dicen que la vida es breve;
Hay quienes dicen que la vida es larga:
Breve nos es una existencia leve;
Larga nos es una existencia amarga.

El móvil tiempo en el placer apura
El mismo pie que en el dolor afloja:
Por eso es día un año de ventura;
Por eso es año un día de congoja.

En un mi amor de paz y de embeleso,
Hubo un instante de nerviosa espera;
¡Y el cruel instante me duró en exceso!
¡Y el dulce amor no me duró siquiera!

Así, momento en que me regocijo
Me da la sensación de que se trunca;
Así, también, momento en que me aflijo,
La sensación de que no acaba nunca.

No os engañéis por mi fisonomía
En que un vigor de juventud descuella;
Larga, muy larga es la existencia mía:
Mucho dolor he padecido en ella;

Mucho dolor, dolor inagotable
Con el que todavía se entrelaza
Otro dolor, temible, inexorable:
El que en herencia me legó mi raza.

No me busquéis la nívea cabellera;
No me busquéis la mortecina frente,
Ni la mirada lánguida y austera,
Ni el paso claudicante y decadente.

Mejor, capaces, y por sabio modo,
De las realidades superiores,
Investigad las almas, que son todo,
Y despreciad las formas exteriores.

Así penetraréis las vanas cosas
En su profundidad más escondida,
Y consideraréis las numerosas
Centurias de dolor que hacen mi vida.

Así penetraréis todo lo vano
Y podréis, comprensivos y sutiles,
Escuchar las palabras del anciano
Oculto por mis rasgos juveniles.

LA ESFERA

A Alejandro Korn

Yo escondo en mi silencio una palabra
Maravillosa por su gran dulzura;
Está en mí el decirla y el que se abra
Un abismo, al decirla, de ventura.

Hace ya mucho tiempo que la escondo;
Hace ya mucho tiempo que la cuido;
Ella se queda siempre en lo más hondo
De mi silencio y yo jamás la olvido.

Nadie en el mundo, estoy seguro de ello,
Ha alcanzado hasta ahora la alegría,
El regocijo deleitoso y bello
De adivinar esa palabra mía.

En la desolación de mi mutismo,
Trémulo y cauteloso, yo la guardo
Para ofrecerle, en horas de lirismo,
Su gran dulzura a la mujer que aguardo.

¡Cómo la escuchará sobrecogida!
¡Cómo la escuchará con invencible
Asombro al ver su pasajera vida
Llena de eternidad y de imposible!

Por mí conocerá la verdadera
Pasión; por mí visitará el imperio
Armonioso de luz de la quimera
Y el recinto de sombras del misterio.

Pero entretanto permanezco solo,
Aguijoneado por horrible duda,
Y con transido corazón me inmolo
En el altar de una palabra muda.

Quizá, no obstante, la mujer que espero
Merezca un esperar menos cobarde;
Quizá la encuentre en mi áspero sendero
Cuando no sea todavía tarde.

Pero quizá… ¡pero quizá no venga!
¡Quizá tropiece yo con el capricho
De un genio adverso a mi palabra y tenga
Que irme del mundo sin haberla dicho!

CANTOS FUTUROS

A Evar Méndez

Hay quien celebra, generoso y fino,
Los cantos que yo di; yo no celebro
Sino los que vislumbro y adivino
En la profundidad de mi cerebro.

Justo es que en ellos mi ternura ocupe;
Que ellos expresarán, por obra mía,
Todas las inquietudes que no supe
Decir un día y que diré otro día.

Esos poemas de lo venidero
Serán las flores de mi humano lodo;
¡En ellos sí que he de cuadrarme entero!
¡En ellos sí que he de mostrarme todo!

Los henchiré de amor y de belleza;
Los cantaré del modo más cumplido;
Realizaré por ellos la proeza
De vencer a la muerte y al olvido.

Yo cierto estoy del corazón que tengo;
Y, mientras llegan sus revelaciones,
Lo escucho palpitar y lo mantengo
En la pureza de sus emociones.

Nadie susurre que mi anhelo yerra;
Nadie que es vana la ambición que abrigo:
Yo sé muy bien lo que el mañana encierra;
Yo sé muy bien lo que a mi yo le digo.

¿Por qué dudar de que me sea dada
La eternidad de la palabra escrita?
Si mi realización es limitada,
Mi posibilidad es infinita.

Nada perturbará mi claro empeño;
Nada mi esperanzado regocijo;
Y, para dar los cantos con que sueño,
Tiempo, no más que tiempo es lo que exijo.

Hay que confiar en la cercana aurora;
Hay que confiar y que esperar seguro;
Todo lo que no pudo ser otrora
Puede llegar a ser en lo futuro.

¡Perdure aún mi pasajera vida;
Y, tras la inmensidad en que hoy me cierno,
Se me aparecerá la presentida
Inspiración de mi poema eterno!

FILIAL

Para mi madre

Madre: yo te confío en este canto
Que elevo a tus inefabilidades,
A tu dolor y a tu sublime encanto,
Mi devoción y mis fidelidades.

Jamás he visto un corazón terreno
En que de modo tan hospitalicio
Se entrelazase el ansia de lo bueno
Con la capacidad del sacrificio.

Tienes el alma extremamente pura;
Pura como el licor de una tinaja;
Y, en tu dulce candor, se te figura
Que nadie, entre los hombres, me aventaja.

Nunca te acuerdas de que fuiste bella;
De que tus rizos ya no son castaños:
Tu substituido espejo de doncella
Es el espejo, ahora, de mis años.

Nada te importa que la vida te haya
Escatimado sus mejores cosas;
Sólo te importa que tu hijo vaya
Por senderos de estrellas y de rosas.

La generosidad y la riqueza
Que en el crisol de tu ternura afinas,
Me dan la sensación de la grandeza,
Me hacen llorar con lágrimas divinas.

No hay en el mundo influjo comparable
A tu influjo que tanto corrobora;
En tu proximidad, ¡cuán deleitable
Es la existencia y cuán arrobadora!

¡Si tú supieses cómo te venero;
Cuántas meditaciones te consagro;
Con qué íntimo temblor te considero,
Oh madre mía, el familiar milagro!

Madre mía que en todas tus acciones
Me sugeriste el misericordioso
Desprendimiento de esas emociones
Que me han hecho sencillo y bondadoso:

¡Que luengos años, en las fugitivas
Horas del tiempo, que sin tregua pasa,
Para consuelo de los tuyos vivas,
Luz y calor de nuestra noble casa;

Y que, cuando el destino me apareje,
Propicio al fin, la novia postrimera,
Haga que a ti, sin ruido, se asemeje,
Para que como a ti la adore y quiera!

LA MUERTA

A José A. Oría

Tras la edad que el recuerdo poetiza,
Vino, para los dos, la adolescencia;
Era la pobra fea y enfermiza
Y yo, por eso, huía su presencia.

Y más la huía, cruel, desde el instante
En que hube de ella la infeliz fortuna
De verme amado sin sentirme amante;
Más infeliz, por cierto, que ninguna.

Un remoto domingo, como es uso
En el juego de prendas, la inocente
Compañía de amigos nos impuso
La pena de besarnos mutuamente.

Súbito fuíme del alcance de ella
Que, en medio de la risa y del asombro,
Siguió con tanta rapidez mi huella,
Que logró detenerme por el hombro.

Entonces, me volví; y, en un villano
Rapto que explica mi maldad de niño,
Contuve, fiero, con la enhiesta mano
Aquella humilde muestra de cariño.

Poco después, moría; y, aunque mucho
Tiempo hace ya desde esta amarga historia,
Siempre una voz que me la cuenta escucho;
Tanto perdura en mi tenaz memoria.

Transcurrirán los meses y los años;
Y me parecerá que todavía
Siento, en virtud de lógicos engaños,
El afán de su boca por la mía.

Besaré, mientras pueda, hasta el exceso;
Y, tras la redención que se me veda,
Padeceré en los labios aquel beso
Que pude dar sin que ya darlo pueda;

El beso aquel que sin mayor angustia,
Antes contento por mi noble suerte,
Bien pude dar a una muchacha mustia
Que no pedía más junto a la muerte.

Por él, hoy paso mis adustas horas
Presa de irreparable sentimiento;
Por él, vienen a mí las punzadoras
Aflicciones del arrepentimiento.

Por él, sufro en el pecho el incurable
Mal de mi corazón, donde se encierra
Un ansia de ternura inaplacable
Con todas las ternuras de la Tierra.

Y he de sufrir así, sin una pausa,
Hasta que llegue el día en que sucumba;
Y he de sufrir como ella por mi causa,
Hasta que yo también baje a la tumba.

Bornons ici cette carrière.
Les longs ouvrages me font peur.
Loin d'épuiser une matière,
On n'en doit prendre que la fleur.

La Fontaine.

Mester de Judería

(1940)

A Adina

Prólogo

Hacia 1831, Macaulay improvisó una historia fantástica. Esa ficción (cuyo bosquejo suficiente perdura en el segundo tomo de los Ensayos) narra las tiranías y los tormentos, las prisiones, los destierros y los ultrajes que se encarnizaron en todas las naciones de Europa con los hombres de pelo rojo. Al cabo de unos siglos ensangrentados alguien descubre que las víctimas de ese tratamiento implacable no son verdaderos patriotas y las acusa de sentirse más allegadas a cualquier extranjero pelirrojo que a los morenos y a los rubios de su parroquia. Los pelirrojos no son ingleses, los pelirrojos no podrán ser ingleses (razona un defensor de las instituciones antiguas), la naturaleza lo prohíbe, la experiencia ha probado que es imposible… ¿A qué proseguir? La cristalina parábola de Macaulay es una transcripción de la realidad: el antisemita Adolf Hitler manda en Europa y tiene imitadores en América.

En las lúcidas páginas de este libro, Grünberg refuta con poderosa pasión los mitos y falacias que ese impostor ha predicado al mundo. A pesar del patíbulo y de la horca, a pesar de la hoguera inquisitorial y del revólver nazi, a pesar de los crímenes que atesora una diligencia de siglos, el antisemitismo no se libra de ser ridículo. En Buenos Aires lo es todavía más que en Berlín. El antisemitismo alemán procura exacerbar y razonar un odio preexistente; el antisemitismo argentino es una especie de facsímil gratuito, que no ha consultado siquiera las habituales aversiones del criollo (que son el italiano y el español). Étnicamente, el antisemitismo es absurdo. Lejos de ser intrusa o forastera en esta república, la raza hebrea es de las tradicionales aquí. En cierta nota del capítulo quinto de *Rosas y su tiempo*, Ramos Mejía considera los apellidos principales de la ciudad y demuestra que todos, o casi todos, "procedían de cepa hebreo-portuguesa" [95].

Estos poemas que tengo el agrado de prologar declaran el honor y dolor de ser judío en el perverso mundo increíble de 1940. Hay escritores a quienes les importa la forma, a otros, lo que una mala pero inevitable metáfora llama el fondo. Ejemplo de formalistas es Góngora y también el improvisador de almacén, que admite cualquier verso que (más o menos) cuente unas ocho sílabas... Las páginas cabales burlan esa distinción habitual: en ella la forma es el fondo, y viceversa. Es el caso de muchas en este libro: de *Judezno,* de *Sabat,* de *Circuncisión...*

Grünberg, poeta, es inconfundiblemente argentino. Lo anterior no quiere decir que trafique en nidos de cóndores o en ombúes ni que en su estrofa sea frecuente el general Rosas: melancólica imagen de la Patria. Quiere decir un vocabulario determinado, ciertas costumbres sintácticas y prosódicas, un modo explícito que no es el modo interjectivo, alarmante, de los poetas españoles de ayer y de hoy. Quiere decir una límpida tradición cuyos nombres más altos son Lugones y Ezequiel Martínez Estrada.

Singularmente original es el concepto de la rima que declaran los poemas de Grünberg. En su monografía sobre la rima (*Der Reim,* 1891) Sigmar Mehring anota que la versificación española suele abusar de ciertas desinencias inexpresivas: *ido, ado, oso, ente, ando...* Así, Lope de Vega:

> Sentado Endimión al pie de Atlante,
> Enamorado de la luna hermosa,
> Dijo con triste voz y alma celosa:
> En tus mudanzas, ¿quién será constante?
>
> Ya creces en mi fe, ya estás menguante,
> Ya sales, ya te escondes desdeñosa,
> Ya te muestras serena, ya llorosa,
> Ya tu epiciclo ocupas arrogante...

Y tres siglos después, Juan Ramón Jiménez:

> Se entró mi corazón en esta nada,
> como aquel pajarillo, que, volando
> de los niños, se entró, ciego y temblando,
> en la sombría sala abandonada.
>
> De cuando en cuando, intenta una escapada
> a lo infinito, que lo está engañando

por su ilusión; duda, y se va, piando,
del vidrio a la mentira iluminada...

Góngora, Quevedo, Torres Villarroel y Lugones famosamente han utili-
zado lo que denomina el último de ellos "la rima numerosa y variada" [96];
pero han limitado su empleo a composiciones grotescas o satíricas.
Grünberg, en cambio, la prodiga con valor y felicidad en composiciones
patéticas. Por ejemplo:

> Cortó el sobejo porque eres
> Judá ben Sion y no Juan Pérez.

O:

> En un lejano pogrom
> le degollaron al hijo,
> del que una noche me dijo:
> "¡Era un gallardo Absalom!"

Como todos los libros importantes, éste de Carlos M. Grünberg lo es
por múltiples razones. Lo es como documento legible y lúcido de este
aciago "tiempo de lobos, tiempo de espadas" cuya bárbara sombra continental –y quizá planetaria– vastamente se cierne sobre nosotros. Lo es
por su precisión y por su fervor, por su álgebra y su fuego, por la armoniosa convivencia continua de la destreza métrica y de la delicada pasión.
Lo es por el alma irónica y valerosa que declaran sus páginas.

En este siglo que no suele percibir otro halago que el de la incohe-
rencia parcial, en este siglo en que el poema quiere parecerse a la incau-
tación y el poeta al afiebrado o al brujo, Grünberg tiene el valor de
proponer una lírica sin misterio. La limpidez es hábito de Israel: recordemos a Enrique Heine; recordemos, en el palabrero siglo XIV, las coplas
del rabí don Sem Tob, "judío de Carrión"...

Mis plácemes a Grünberg y a sus lectores.

Jorge Luis Borges
Buenos Aires, 2 de agosto de 1940

Yo he conocido cantores
Que era un gusto el escuchar,
Mas no quieren opinar
Y se divierten cantando;
Pero yo canto opinando,
Que es mi modo de cantar.

José Hernández

CIRCUNCISIÓN

Hace ocho días que naciste;
hace un minuto que eres triste.

En el salón había masas[97],
había gente, había tazas.

También había dos sillones,
los dos cubiertos de almohadones.

Uno esperaba al nabí Elías,
Como los nuestros al Mesías.

Ningún nabí, por cierto, vino
para asistir a tu padrino.

Éste ocupó, muy tieso, el otro
y echó a sudar como en un potro.

Quizá el calor; quizá la gloria
de ser tu mesa operatoria.

Tú dormitabas en sus brazos,
todo mantillas, todo lazos.

Entre la gente había un hombre
que en español no tiene nombre.

Según *suicida* y *homicida*,
lo trataré de *circuncida*...

Traía algunos instrumentos
y dos o tres medicamentos.

Te desnudó con mucha ciencia;
con femenina diligencia.

Bendijo a Dios por el precepto,
del cual, sin duda, es un adepto.

Sufrió en su hora el sacrificio
y hoy circuncida por oficio.

El sacrificio fue instantáneo;
fue casi un rayo subitáneo.

Cortó el sobejo como un rizo
para volverte circunciso.

Cortó el sobejo filisteo
para trocarte en un hebreo.

Cortó el sobejo por que eres
Judá ben Sion y no Juan Pérez.

Ahora sangras, lloras, gritas.
Gritas con gritos israelitas.

No grites más; no llores tanto.
Deja tus gritos y tu llanto.

Sangrar no es nada, pero nada.
Sangrar es sólo una bobada.

Aún ignoras, pobre crío,
que cuesta sangre ser judío.

Que cuesta sangre, como el arte.
Como si fuese un arte aparte.

Que cuesta sangre día a día,
del nacimiento a la agonía.

¡Que cuesta sangre y que con ésta
va la primera que te cuesta!

INFANCIA

Serás lo que hay que ser o no
eres nada.
José de San Martín

No andés cambiando de cueva,
Hacé las que hace el ratón:
Conserváte en el rincón
En que empesó tu esistencia¨:
Vaca que cambia querencia
Se atrasa en la parición.
José Hernández

I

Cuando cumplí cinco años,
mi padre cayó en extraños
recogimientos huraños.

Consideraba, prolijo,
por lo que ahora colijo,
la edad de su tierno hijo.

"¡Primer lustro de la infancia!
"¡Cuán amena es tu substancia!
"¡Cuán frívola tu importancia!

"Mas das un escalofrío
"en gravitando, Dios mío,
"sobre un párvulo judío.

"Noble patria, la Argentina
"no lo aplasta ni domina
"por prejuicio o por inquina.

"En preceptos lapidarios
"le ofrece los más plenarios
"principios igualitarios.

"Hasta tanto se bautice,
"poca cosa le interdice:
"ser Presidente o ser Vice.

"Pero no por sus derechos,
"sino mejor por los hechos,
"están todos satisfechos.

"¿Quién no brega, masculino,
"con esfuerzo diamantino,
"por realizar su destino?

"Al vástago de Israel
"Le toca liza más cruel:
"antes brega por ser él.

"Percibe con acuidad
"en éstos la necedad
"y en aquéllos la maldad.

"Y siente la gentilicia
"vocación de una milicia
"de verdad y de justicia.

"Y se topa con la hiedra
"que subyuga y con la piedra
"que mata, hiere o arredra.

"¿Claudicará, voluptuoso?
"¿Retrocederá, medroso?
"¿Persistirá, valeroso?

"Que persista. Que el infante
"arribe duro y cortante
"al encuentro estimulante.

"Que el muchacho, una vez hombre,
"no se duela ni se asombre
"de su estirpe o de su nombre.

"Que lleve de corazón,
"y no con resignación,
"su natural condición.

"Que registre en la memoria
"los eventos de la historia
"que atestiguan nuestra gloria.

"Que venere en sus quilates
"a los sabios y a los vates
"que adoramos por penates.

"Que tenga enérgica el alma.
"Aunque le cueste la calma.
"Aunque le cueste la palma."

II

Sospecho que a este tenor
fue el monólogo interior
de mi buen progenitor.

Pero en fin de cierto sé
que a la sazón encontré
maestro en rabí Josué.

Nítidamente perdura
su inolvidable figura
en mi retina segura.

Corpecillo superflaco
que parecía el de un jaco
ensillado con un saco.

Negra y undosa guedeja.
Un tufo a la moda vieja
delante de cada oreja.

Pálida frente concisa
que una arruga movediza
cruzaba en forma imprecisa.

Anchas cejas sin aliño.
Grises ojazos de niño
que miraban con cariño.

Triple narigón cayente.
Recio bigote pendiente.
Carnosa boca sonriente.

Barba corta, cicatera…
¿La navaja? ¿La tijera?
¡Oh, de ninguna manera!

Sucede que mi maestro
la administraba con estro
decididamente diestro.

Aquella barba era dual:
hasta el sábado, trivial;
el sábado, patriarcal.

Este día mi rabí
desplegaba entera, sí,
su barbaza, grande así.

Después llegaba el domingo,
y entonces, con un respingo,
¡ay!, le infería el distingo.

Trocaba la barba inmensa
en trenza compacta y densa;
luego en rodete la trenza.

Y al cabo, con una horquilla,
sujetaba a maravilla
el rodete a la barbilla*.

Barbado con el rodete,
sudaba por el zoquete
(Génesis, III, 17).

Barbudo, holgaba. Si un bronce
ni Dios es, nadie se tronce
(Éxodo, XX, 8 a 11).

* Emplea análogo ardid,
  en el "Cantar de Mio Cid",
  el barbiluengo adalid.

III

Mas pongamos aquí punto
y abordemos un asunto
más formal y cejijunto.

Veamos sus saludables
enseñanzas sólo dables
en los días laborables.

No pecaba, por supuesto,
el plan de estudios impuesto
por mi padre de modesto.

¿Qué chico no se enamora
del hebreo: fiel que ora,
del ídiz: bufón que llora?

¡Mas también se me exigía
Historia, Sociología,
Derecho, Filosofía!

Pronto esperaba a mi grey,
que lo aprecia más que a un rey,
otro doctor de la ley.

Pronto, pronto... Pero no.
Pronto mi mentor voló.
Y el daño lo causé yo.

Se hallaban ya en su apogeo
mi solfeo y mi rasgueo
del ídiz y del hebreo.

Casi promediaba ya
mi incursión de pe a pa
por el libro de Jehová.

Con mi pedante por báculo,
presenciaba sin obstáculo
un delicioso espectáculo.

Aquellas voces seniles
velaban las más gentiles
fantasías infantiles.

Lástima sólo que algunas
expresiones importunas
me dejaran en ayunas.

Recuerdo que la más bella,
concerniente a una doncella,
hablaba de *entrar a ella*.

Para adecuarla a mi crisma,
mi ayo hacía un sofisma
que provocaba mi cisma.

¡Y gracias! Los demás giros
no le sacaban ni a tiros
sino gestos y suspiros.

Leyendo alcanzamos pues
un pasaje de interés:
1 Reyes, XI, 3.

¿Por qué había el rey sutil
usufructuado, viril,
no una mujer, sino mil?

Al oír tan indiscreta
pregunta, mi masoreta
puso cara de vaqueta.

Luego me dijo: "Pues bien;
"el sultán, allá en su harén,
"tiene muchas, él también."

¡Oh contestación palurda!
¡Oh respuesta zafia y burda!
¡Oh réplica absurda y zurda!

Mi padre —de cuando en cuando,
alumno de contrabando—
había estado escuchando.

Allí fue Troya. ¿Y con esa
gruesa escapatoria aviesa
disipaba mi sorpresa?

¿Con ese ingenio beocio
trataba el arduo negocio
de su austero sacerdocio?

¿Y con esa ineptitud
transmitía la virtud
dialéctica del Talmud?

IV

Sintetizo y epilogo.
Acabado el desahogo.
me quedé sin pedagogo.

Niño al fin, gané la calle
y olvidé como a un detalle
al preceptor de mal talle.

Desde entonces he tenido
el más variado surtido
de enseñantes conocido.

Confesionales y laicos,
gentílicos y judaicos,
eminentes y prosaicos.

Pero de todos ¿cuál sube
en mi recuerdo a querube
como el primero que hube?

De todos, malos y buenos,
rapados y nazarenos,
¿a cuál echo así de menos?

No afirmo que –si los hay–
fuera un Hilel, un Zamay,
un Yojanán ben Zacay.

Pero ¿no le sobró ciencia
para darme la experiencia
más alta de mi existencia?

¿Le faltó acaso talento
para inculcarme el fermento
de mi fuerza y de mi aliento?

Dotó al pueril personaje
del placer y del coraje
de adherir a su linaje.

Orgullo tal, cuando muerde,
ya nunca nunca se pierde;
¡está verde, siempre verde!

Hay cosas que no se eligen,
y lo comprueba el origen,
que los tunantes… corrigen.

Con un poco de egotismo.
quien nace en el judaísmo
tiene que ser él, él mismo.

Debe ser fiel a su raza;
debe ser fiel a su casa;
debe ser fiel a su traza.

Ha de estarse en lo nativo,
como el germen semivivo
en el terrón nutritivo.

Después podrá germinar,
crecer y fructificar,
prodigarse y exultar.

Y si no, será frustrado,
como se frustra, cuitado,
el germen desenterrado

1916

Libertad es un grito sagrado,
pero hay otro más lleno de prez.
Quien exclama Argentina ha exclamado
libertad y Argentina a la vez.
Argentina es el santo sonido.
Lo proclama la grey de Jehová.
Patria mía: tu encanto ha rendido
al antiguo león de Judá.

Los sedientos de cuerpo o de alma
es a ti a quien impetran merced,
y eres tú, sólo tú, la que calma,
la que extingue y disipa su sed.
Y has calmado la sed más intensa,
la ardentísima sed de Jacob.
Has borrado la inicua vergüenza.
Has curado las llagas de Job.

Al que gime a tu puerta, mendigo
de un abrigo, de un techo o de un pan,
das tu techo, tu pan y tu abrigo
con el más generoso ademán.
Pero el pan, el abrigo y el techo
no comportan tu único bien.
Al que anhela justicia y derecho,
das derecho y justicia también.

Liberal de tus dones y gozos,
no disciernes a quienes los das.
Incapaz de distingos odiosos,
no has caído en distingos jamás.
Has creado con genio humanista
una ley general y común.
Nadie es nunca extranjero a tu vista
y el judío lo es menos aún.

Mis hermanos de raza lo saben,
y no saben callar la verdad,

y de ahí que te loen y alaben
por tu fina y excelsa piedad.
¿No han corrido detrás de tus lampos
en doliente y fatal multitud?
¿No han poblado tus urbes y campos
de argentinos de honor y virtud?

Como todos los hombres del mundo
que han buscado una tierra feliz,
Ahasvero el anciano errabundo,
vino ayer, en efecto, al país.
Las catorce provincias, filiales,
lo acogieron con tierna emoción,
y los diez territorios, formales,
con un ya provincial corazón.

En la gran Buenos Aires activa,
consagrada al saber y al poder;
en la noble Entre Ríos altiva;
en la Pampa, en el Chaco, doquier,
sacudiendo su carga de penas,
el ubérrimo pueblo de Dios
reanudó con sus viejas faenas
el idilio de Rut y Booz.

Y pues va mencionada Entre Ríos,
tan gentil con los míos, diré
que, igualmente gentil con los míos,
pide igual galardón Santa Fe;
Santa Fe, mi provincia dilecta,
porque en ella nació y se crió
la mujer que yo amo, perfecta,
más judía y criolla que yo.

Tu bandera, Argentina, ha cubierto,
a manera de un místico tul,
a la hebrea, teñida por cierto
también ella de blanco y azul,
y en tu escudo precioso a la fama,
en la orla de verde laurel,

has inscripto el eterno hexagrama,
el escudo real de Israel.

Si algún día el voluble destino
te depara una guerra exterior,
quizá sea un judío argentino
quien te ofrende la hazaña mayor;
pero ten por seguro que al menos
los judíos que habiten aquí
lucharán en tu pro como buenos,
morirán como buenos por ti.

Surgirán de mi estirpe campeones
en defensa del suelo natal,
y serán verdaderos Sansones
por el nombre y la fuerza brutal;
surgirán de mi estirpe adalides
en defensa del suelo civil,
y serán verdaderos Davides
por el nombre y la fuerza sutil.

Patria mía: el valor del ensueño
me confiere palabra de rey.
Yo, judío argentino y porteño,
soy vocero de toda mi grey:
del judío que tiembla de arrobo
en tu más escondido lugar;
de los muchos del resto del globo;
de los tristes que están sin hogar.

Que en el verso de López y Planes
suene siempre el sonoro clarín
que exaltó tus primero afanes
de un confín hasta el otro confín.
Que tus hechos enciendan la historia.
Que la gloria te dé su capuz.
Que el brillante capuz de la gloria
palidezca fundido en tu luz.

Que los siglos te vuelvan ejemplo.
Que en ti adoren Ariel y Goliat.
Que en el almo reloj de tu templo
cada día parezca sabat.
Que prosperes pacíficamente.
Que jamás te salpique el pogrom.
Y que siempre repita mi gente:
¡Al gran pueblo argentino, *salom*!

SABAT

I

La friolera viene al caso;
conque vaya y no se ahorre:
el día judío corre
desde el ocaso al ocaso.

De ahí que el sabat contenga
una porción, aunque breve,
de viernes o parasceve
y otra de sábado, luenga.

Este sabat es aquel
que santifica el adepto;
es el día de precepto
del linaje de Israel.

Si Jehová no ha sido un bronce,
nadie nunca lo será;
por eso quiere Jehová
que nadie nunca se tronce.

Jehová sacó el universo
de la nada —su alacena—
en días —media docena—,
pero, eso sí, con esfuerzo;

y automisericordioso,
remató aquellos activos
seis días extenuativos
con un día de reposo.

Vio así que si los afanes
son necesarios y buenos,
no lo son en verdad menos
los respiros haraganes.

Y exclamó: "Que el hombre sea
"de nuevo a mi semejanza;
"que observe un día de holganza
"tras cada seis de tarea".

El descanso *hebdomadario*
(como con yerro optimista
lo ha llamado algún rentista
o algún multimillonario)

fue siglos antes que ley
o disposición de código
el más generoso y pródigo
de los ritos de mi grey.

Al igual que el cristianismo
del judaísmo, el actual
descanso dominical
proviene del sabatismo.

Y Dios es, si el terminajo
no sobresalta o consterna,
el *barba* de la moderna
Legislación del Trabajo.

Pero ¿y el procedimiento
para llevar a la vida
la interdicción contenida
en el cuarto mandamiento?

Pues lo da la multitud
de interdicciones menudas
que trae, a vuelta de agudas
exégesis, el Talmud.

Ved ahí –sin petulancia–
un prodigio de sapiencia,
un milagro de paciencia,
constancia y perseverancia,

y esa casuística argucia
que el hombre de mi progenie
pone, a poco que se ingenie,
en escarbar la minucia.

Inventario tan completo
de cuanto el día del ocio
repele como negocio
excedería mi objeto.

Más: semejante catálogo
de la omisión imponible
volvería aborrecible
el mismísimo Decálogo.

Sólo diré pues que él veda,
a fuer de pasada cruz,
dar luz, matar una luz
y tocar una moneda.*

Y bien; tanta prohibición
ha suscitado, entre mil,
un problema asaz sutil,
aunque no sin solución:

¿cómo, el viernes por la noche,
apagar la luz que arde
desde el viernes por la tarde
sin que nada lo reproche?

Pues matándola o por mano
de un gentil alquiladizo,
apalabrado en preciso
día anterior y profano

–y aun, con tal que se le hable
a raíz de un accidente
y perifrásticamente,
en plena noche inviolable–,

o mediante un subterfugio
más mecánico y facticio:
una artimaña, artificio,
artefacto o artilugio.

* Aunque a muchos no les entre,
   hay más aún, y es que, genio
   del fanatismo, el esenio
   no hacía, en sabat, del vientre.

Y Dios me aplaste y extirpe
con el rigor de su odio
si no tomo el episodio
de un escritor de mi estirpe.

No me burlo; no me befo.
Extraigo, grato o ingrato,
el íntimo y recio dato
de un volumen de Josefo.

Sería, no obstante, burdo
sacar en limpio que todo
sabatizar es un modo
de caer en el absurdo.

Las proscripciones talmúdicas
aludidas en el texto
han sido también pretexto
de cosas altas y púdicas.

Así, del tabú que quiebra
la atención de la cocina
¿no ha nacido esa adafina
que todo Israel celebra?

La adafina es el *jamín*
(vianda caliente, en hebraico)
y el *châlet* transpirenaico
(su versión al lemosín);

y aunque tal vez ello asombre,
ha pedido al de Mahoma,
para entrar en nuestro idioma,
su armoniosísimo nombre,

que en la lengua del Profeta
significa la *sepulta,*
la soterrada, la oculta,
la escondida y *la secreta.*

Definiréla, en prosaica
locución inerudita,
como el puchero israelita,
como la olla judaica.

Pero su fondo, su base,
no está en lo que la compone:
no estriba en qué se le pone,
sino en cómo se la hace.

Al anochecer del viernes,
cuando se empaña el cenit,
Judit, la misma Judit
que dio cuenta de Holofernes,

introduce la caldera
donde ha encerrado el manjar
en el horno del hogar,
templado sobremanera,

esparce encima y en torno
de la caldera una capa
de lumbre y ceniza y tapa
la humosa boca del horno.

Y he aquí la noche, agua bruna
refractada de centellas
y burbujeante de estrellas
y globulosa de luna;

y el día, claro alcohol
que por doquier se derrama

y que se quema sin llama,
encendido por el sol.

Y el plato siempre se cuece,
sazona y mantiene justo
es esa tibieza a gusto
que el paladar apetece.

Hasta que llega la hora
del almuerzo y la familia
–que está, desde la vigilia,
pensando en él– lo devora.

II

El de rabí Neftalí
es, de tales automáticos
matacandelas sabáticos,
el mejor que hay por aquí.

Él me servirá de ejemplo,
y espero pintarlo bien,
pues debido a... yo sé quién
meses ha que lo contemplo.

Pero noto con zozobra
que soy un mal narrador.
Debo pintar al autor
antes de pintar su obra.

¿Quién no ha visto esos armarios
miserables o modestos
que se emplean como puestos
de cigarrillos y diarios?

¿Y en la esquina N.O.
de Corrientes y Ayacucho
un cotidiano tenducho
semejante? Y bien; es éste.

Es éste el que proporciona
a rabí Neftalí pan,
y su perenne guardián,
rabí Neftalí en persona.

He tenido en el colegio
un condiscípulo ilustre,
aureolado por el lustre
de un tatarabuelo egregio.

Pueril, ignorante, obtuso,
juraba, haciendo equilibrio
sobre su triste ludibrio,
que todo israelita es ruso.

Mas su premisa, incorrecta
por lo general y abstracta,
resulta, con todo, exacta
por lo que al viejo respecta.

En no recuerdo qué punto
del imperio de los zares
tuvo pues sus patrios lares
el judío de mi asunto.

Su biografía comienza
a los veinticinco años.
Antes sufrió desengaños;
jamás una cuita inmensa.

En un lejano pogrom
le degollaron al hijo,
del que una noche me dijo:
"¡Era un gallardo Absalom!"

Su pobre mujer no pudo
mostrarse, como él, estoica,
y se echó bajo una troica
y murió y lo dejó viudo.

No le quedó sino Séfora,
que hoy prenda con sus hechizos
y que pasea sus rizos
con un aire de canéfora.

Al fin nómada y errante,
al fin vástago de expulsos,
sintió atávicos impulsos
de andariego y emigrante.

Y pensando: "el mundo encierra
"un país donde el derecho
"no es un mito, sino un hecho",
se embarcó para esta tierra.

La provincia de Entre Ríos,
dadivosa de su hogaza
con la gente de mi raza,
tentó sus mejores bríos.

Cansado de los desaires
de la suerte, lleno y colmo
de las peras de este olmo,
volvió sobre Buenos Aires.

Aquí tropezó primero
con la escoria de los malos.
Total, que molido a palos
en la "semana de enero".

Nuevamente sano y útil,
abrió un comercio: la calle,
donde vendía en detalle
todo el cosmos de lo fútil.

Pero en tienda tan enorme
hay carros que con el pértigo
derriban, causan un vértigo
y dejan muerto o deforme.

Dichoso nuevo Jonás,
mi amigo salió del lance
con ventaja en el balance:
quedó deforme no más.

Anclado ahora en el bósforo
de Corrientes, vende cosas
que se ponen luminosas
en contacto con el fósforo.

El dolor y la injusticia,
desgastando al infeliz,
lo han reducido a raíz,
a la raíz gentilicia.

La descendencia de Amós
no posee, de seguro,
judío más noble y puro,
más temeroso de Dios.

Con harto motivo, pues,
preside, según se cuenta,
la "Mano de los Setenta
Discípulos de Moisés",

grupo que miró con pánico
las flamantes herejías
que encarnaron al Mesías
en el gobierno británico.

III

Tal vez alguien se ensimisme
pensando cuánto me alejo
de mi ortodoxo trebejo,
de mi escrupuloso chisme.

¡Craso error! Venga conmigo
en imaginario viaje
o mejor peregrinaje
al tabuco de mi amigo.

He aquí que el sabat abrevia
su advenimiento y que, astuta,
la canéfora ejecuta
cierta ceremonia previa.

¿Qué hace? Enciende la bombilla
sin real necesidad,
haciendo aún claridad
en la indigente bohardilla,

y –¡atención!– arma y coloca
junto al muro, tras la puerta
–tras la puerta bien abierta–,
la prometida bicoca.

Ya padre e hija no tienen,
maguer sus inhibiciones,
por qué temer desazones
para las horas que vienen.

Pues ya, sin que llaves asgan,
sin que preceptos quebranten,
hoy habrá luz cuando yanten
y oscuridad cuando yazgan.

La luz se enciende merced
a una llave rotatoria
cuya minúscula noria
gira a ras de la pared.

Cruzándose a igual altura,
un listón de cierto grueso
–que es decir de cierto peso–
finge un trozo de moldura.

Allá, en el ancho, éste muestra
un ojo donde la llave
negrea como una grave
magulladura siniestra;

aquí, en el grueso, un tornillo
que –ahorcado de largo cuello
y de crencha en el cabello–
trae atado un cordelillo.

Éste sube y encordela
el tronco de un alfiler;
éste se ingiere a placer
en el cabo de una vela;

y éste afianza, desde luego,
el culo en una repisa
y –mástil de sebo– eriza
un gallardete de fuego.

Cuando ya el ígneo estandarte,
arriado al pie de su asta,
hace del cabo una pasta,
el mueble actúa su arte.

El listón, que siempre tira
del alfiler, lo desprende,
fuerza la llave y por ende,
volteando la llave, gira.

El zaquizamí se inunda
de una lobreguez mediocre,
matizada por el ocre
de la vela moribunda.

Y cuando aun ésta se extingue,
mi amigo cierra los ojos
y se duerme sin enojos,
narcotizado de pringue.

En cierto viernes nefasto,
Séfora, gandula y tarda,
iluminó la buharda,
pero se olvidó del trasto.

La pecaminosa incuria
dio lugar al más risueño
cuadro judeoporteño
de esta sombría centuria.

Vuelto de la sinagoga,
rabí Neftalí lo supo,
y al comienzo no le cupo
sino soportar la droga.

Mas celebrado el banquete
y echado el rezo de estilo,
salió con mudo sigilo
y tornó con un pillete.

Llegó hasta la llave un dedo [98]
y, crispándolo y trazando
un semicírculo blando,
pidió al mocoso un… remedo.

Siempre en su jerga bilingüe,
cumplió un nuevo requisito [99]:
apuntando a su apetito,
le anunció un óbolo pingüe.

Y aboliendo sus ya vagos
deseos condescendientes,
lo puso en antecedentes [100]
de su suspensión de pagos…

¡Y qué cara tonta y rara
la del chico! Mas un pronto

gesto ni raro ni tonto
le desarrugó la cara.

De un sólo salto, de un ágil
brinco nada parapléjico,
ganó el umbral estratégico,
pensando que el alma es frágil.

Y exclamó: "¡No quiero gangas!
"¡La llave *tiene contacto*!"
Y con vigoroso impacto,
le asestó un corte de mangas.

V

Todo judío es teólogo;
y así se explica que el nuestro
probara serlo, y maestro,
con el siguiente monólogo:

"Hija mía: El tierno niño
"ha errado menos que yo.
"No me ha molestado; no.
"Sólo me inspira cariño.

"El día séptimo implica
"sentidos que no penetra
"esa adhesión a la letra
"que el caraísmo practica.

"Dios ordenó el punitivo
"sudor paniego y el calmo,
"vigorizador y almo
"sabat conmemorativo.

"Más créeme que repudia
"al sabatario proclive

"que sabatiza inclusive
"con la conciencia y no estudia.

"Sea el sabat el remanso
"donde tu flaca materia
"se lave de su laceria
"y se bañe de descanso.

"Mas sea también el cielo,
"la inmensa atmósfera libre
"donde tu espíritu vibre
"como el pájaro en el vuelo.

"Porque Adonái creó el orbe
"por la Tora y nada hay
"tan dulce para Adonái
"como el háber que la absorbe.

"Sábado y sabiduría,
"sabat guardado y sagrado
"saber nuestro atesorado,
"se confunden, hija mía.

"Nuestro sábado, el sabat,
"es nuestra luz, que en la lid
"batalla –eterno David–
"con la sombre de Goliat.

"Es la luz clara, sin nieblas,
"de los hijos de Jacob,
"que triunfará, como Job,
"del ángel de las tinieblas.

"Llegará el siglo profundo
"en que no quiera ya nadie
"hacer que esa luz no irradie
"su excelsitud por el mundo.

"Ni un gentil. Aunque lo invite
"su edad de niño inexperto.

"Y aunque un judío –por cierto
"que enajenado– lo incite...

"¿Bostezas?... Veo ese siglo
"que parirán las clepsidras
"al cabo de tantas hidras,
"después de tanto vestiglo.

"La luz del sabat se expande,
"no por este humilde cuarto,
"sino por el mundo, harto
"más numeroso y más grande...

"¿Bostezas?... Lo porvenir...
"¡Vete a dormir; pero advierte
"que la luz tan fuerte, tan fuerte,
"suele no dejar dormir!"

APELLIDOS

¡Dichosos los Ibáñez y los Yáñez,
los Gómez, los Rodríguez y los Núñez!

¡Ah cómo lucha el que se llama Ñevsky,
Poplavsky, Jaroslavsky o Nemirovsky!

Pero Jehová no otorga un privilegio
sin subsanarlo por algún efugio.

Obra con tan sutil maquiavelismo,
que cuando favorece es por sarcasmo.

Si te da catre, no te da sustento.
Si te hace millonario, te hace tonto.

¡La vida de los Pérez es más fácil,
pero su eternidad es más difícil!

INSULTO

Le has gritado judío con magnífica furia.
Le has gritado judío con soberbio coraje.
La palabra judío te parece una injuria.
La palabra judío te parece un ultraje.

Él la creía un símbolo de gloria y de martirio.
La reputaba un signo de trágica grandeza.
Por su total pureza la equiparaba al lirio.
La equiparaba al lirio por su total belleza.

Ahora ve con ojos más linces y más sabios.
Ve tan diáfanamente como quien palpa y toca.
Ve que todos los nombres ofenden en tus labios.
Que todas las palabras insultan en tu boca.

PARIA

¡Es claro! Ha sido la diferencia
con individuos de otros linajes.
Al fin cayeron en tu ascendencia
con improperios y con ultrajes.

Jamás tuviste cuestión alguna
con no judíos, cultos o incultos,
sin que evacuaran sobre tu cuna
sus palabrotas y sus insultos.

Toda tu vida será lo mismo.
En tus triunfos y en tus derrotas,
mentarán siempre tu judaísmo
entre denuestos y chirigotas.

Tu raza es algo que no se olvida.
Tu raza es algo que se recuerda.
¡Toda la vida, toda la vida,
perro judío, "ruso" de m...!

Hoy, como siempre, malos hay muchos.
Hoy, como siempre, buenos hay pocos.
Hay una inmensa legión de "duchos"
y una diezmada porción de "locos".

Hay pocos buenos y muchos malos.
Hay muchos malos y pocos buenos.
Y cuando chocan, llueven los palos,
naturalmente, sobre los menos.

La turbamulta de los impíos,
cuando no el golpe, lanza la injuria.
La aristocracia de los judíos
gime a menudo bajo su furia.

Más no se ofende ni a la perdida.
¡Si hasta se admite que no se pierda!...
¡Toda la vida, toda la vida,
perro judío, "ruso" de m...!

En vano esperas horas mejores,
días serenos, años felices.
Los hombres guardan a sus rencores
mayor apego que a sus narices.

Tus semejantes no han progresado
desde los tiempos de las cavernas.
Viven sujetos a lo pasado.
Sufren las lacras que son eternas.

No te ilusiones con lo futuro.
No te esperances con el mañana.
En ti se vuelca lo más impuro:
la boca humana, la lengua humana.

La lengua humana hiede, podrida.
Está podrida, pero no es lerda.
¡Toda la vida, toda la vida,
perro judío, "ruso" de m...!

Sí. Los nefarios te son contrarios
y los perversos te son adversos.
Y eres la mofa de los nefarios.
Y eres la befa de los perversos.

Y sin embargo, ¡cuánta belleza
lleva oculta tus emociones!
¡Cuánta pureza, cuánta nobleza,
cuánta grandeza, tus intenciones!

Pero es inútil. Nada te exime
de que te muerdan hasta la pulpa.
Tu vieja culpa no se redime.
No se redime porque no es culpa.

¡Alza, judezno, la faz mordida
para que el lobo te la remuerda!
¡Toda la vida, toda la vida,
perro judío, "ruso" de m...!

Será lo mismo cuando sucumbas.
Y cuando yazgas en el sepulcro.
Hay miserables que violan tumbas.
Quien no fue pulcro, no será pulcro.

Aunque tu nombre pase a la historia,
ganará escarnios y no respetos.
Se hará ludibrio de tu memoria.
Y de tus hijos. Y de tus nietos.

Hasta en efigie, despúes de idos,
¿no son los Heines defenestrados?
Hasta su lieder ¿no son zaheridos
como hebraísmos trujamaneados?

Cuando estés frío, rígido y yerto,
sonará, joven, la anciana cuerda.
¡Después de muerto, después de muerto,
perro judío, "ruso" de m...!

Los malos vuelven. Son como el cáncer.
Pero ¡qué diablos! Sal de tu inopia.
Junta tus fuerzas y acaba al máncer.
Hazte justicia por mano propia.

Mata al canalla que te moteja.
Córtale el cuello. Basta de grita.
¿O aún aguardas que te proteja
tu dios judío y antisemita?

Pega sin asco. Dale escarmiento
Rompe su cráneo de delincuente.
Hay que ultimarlo sin miramiento.
Como a un judío. Precisamente.

Como al judío que todos claman,
si no de hinojos, bien a su izquierda.
¡Como al judío que todos llaman
perro judío, "ruso" de m…!

JUDEZNO

Tres años, hijito mío,
y ya te han gritado ¡*"ruso"!*,
y ya te han dicho ¡*judío!*

Tres años, pequeño mío.
Tres años, y ya confuso.
Tres años, y ya sombrío.

Tres años, cachorro mío.
Tres años, y ya contuso.
Tres años, y ya bravío.

Tres años, querube mío.
Tres años, y ya lo obtuso.
Tres años, y ya lo impío.

213

Tres años, polluelo mío.
Tres años, y ya el intruso.
Tres años, y ya el vacío.

Tres años, consuelo mío.
Tres años, y ya me acuso.
Tres años, y ya te expío.

¡Tres años, judezno mío!
¡Tres años, y ya concluso!
¡Tres años, y ya judío!

ORGULLO

…los señores judíos pueden dormir tranquilos: por el
momento no pensamos sistematizar una campaña de
"pogroms". Lo único que no permitiremos jamás es
que nos gobiernen. Por lo demás, pueden ser necesarios y hasta indispensables. En toda sociedad moderna tiene que haber hombres que se dediquen a la
compra de sobretodos viejos…
Bandera Argentina,
año I, núm. 1, 1 de agosto de 1932.

¡Oh patria! Miserables de corazón de puma
nos befan en tu suelo, tranquilos y a sus anchas.
Cubren tu superficie como una sucia espuma.
Velan tu noble rostro como enfermizas manchas.

Somos, según la lógica de su antisemitismo,
un pueblo de traperos y de ropavejeros.
Para su inmunda lógica, trapero soy yo mismo.
Trapero descendiente de miles de traperos.

Y bien; ¿no es ropa el arte? ¿No es viejo el arte, acaso?
¿No son ropavejeros, entonces, los poetas?
Mi ropavejería funciona en el Parnaso.
Comercio con las Musas. Opero con cuartetas.

¡Moteje la canalla mi ropavejería!
¡Este ropavejero calado de basura
puede dejar sus huellas, oh patria, en tu poesía,
puede dejar sus rastros en tu literatura!

SINAGOGA

Con motivo de los daños intencionales producidos, a
mediados de 1933 y 1934, en los frontis de las dos
principales sinagogas de Buenos Aires.

Voy a la sinagoga
cuya limpia fachada
ha sido alquitranada
por el racismo en boga

Llegaré al edificio
y al encarar el atrio
apreciaré el perjuicio
causado al frontispicio
y más al suelo patrio.
Y como buen auspicio
recibiré el saludo
amable por oficio
que el diácono barbudo
me hará, muy campanudo,
en el hospitalicio
pronaos gentilicio.
Y envuelto por el mudo
abandono propicio
de la nave ulterior,
iré sobre la alfombra
que cubre el corredor,
irradiando mi sombra,
en pos del almemor.
Y ya en el almimbar,

acercaré mis pasos
al inclinado altar.
Y por entre los brazos
que la trunca almenara [101]
dispuesta sobre el ara
tiende como un arbusto
a la araña que justo
encima del pupitre
se abate con robusto
aletazo de buitre,
contemplaré en el fondo
del ábside redondo,
de la vasta hornacina
que queda hacia la aurora,
del mihrab que fascina
al concurso que ora
y en serie cristalina
lo ordena y disciplina,
el arca, que atesora
los libros de la Tora,
los emperifollados
volúmenes sagrados,
con sus inmemoriales
caracteres cuadrados
que no vienen puntados
por las tradicionales
mociones o vocales,
obra de esos artistas
que son nuestros copistas,
de esos genios manuales
que son los pendolistas.
Y veré los sitiales
que en dos curvas iguales
se desprenden del arca.
Y admiraré la bella
corona de monarca
que luce sobre ella
como un enorme siclo,
que alumbra el hemiciclo
como una inmensa estrella.

Y evocaré las gentes
y las cosas ausentes.
El escriba, el rabino,
el doctor de la ley,
que rige ante la grey
el servicio divino.
Y el chantre que gorjea
con trinos de bulbul
y arrebata al azul
a la pía asamblea.
Y los demás cantores
—el clásico sochantre
cenceño como un diantre,
los bajos, los tenores
y los seises de finos
acentos argentinos—,
que, planetas menores
alrededor del sol,
entonan los motetes,
tocados de bonetes,
en torno al capiscol.
Y sentado en la exedra,
ante su facistol,
con su rostro de piedra,
con su expresión de dogo,
el arquisinagogo,
cuyo níveo taled
se esfuma en la pared
de la alquibla judía,
Y a su diestra, el jifero.
Y a su izquierda, un banquero.
Y a la gran burguesía
que ocupa por su oro
los estalos del coro.
Y la feligresía
que hormiguea en los bancos
yacentes a los flancos
de la estrecha crujía.
Y allá en la galería,
los dulces rostros blancos,

los tersos ojos francos
de Raquel y de Lía,
de Ester y de María.

Y las tres largas horas
del rezo cotidiano
que ya musitadoras,
ya ardientes y sonoras,
dicen, formando mano,
las huestes pecadoras,
no siempre sentidoras
de una piedad profunda:
vísperas la primera,
maitines la segunda
y nona la tercera.
Y las cien oraciones
que componen el rezo,
cándidos eslabones
de un cándido proceso:
el Oye, que postula
la judiega unidad
de la divinidad
y que nos estimula
con el Deuteronomio
—con palabras del mismo
que han merecido encomio
por su intenso realismo—
a ser buenos adeptos
de los sabios preceptos
que marca el judaísmo;
la famosa aleluya
de las dieciocho preces,
en que dieciocho veces
se bendice y arrulla
al ser intransitivo
y que por tal motivo
se llama Diez y Ocho
(en verdad me reprocho
no saber de memoria
barahá semejante);

y el Cadiz penetrante,
breve jaculatoria
que pondera la gloria
de Dios y de su nombre
más allá de los cantos
y alabanzas del hombre
y que enjuga los llantos
de la pena filial
durante el luto anual.

Y en los sábados santos,
la lección semanal,
con su a ratos prosaica
perícope mosaica
y su siempre poético
epílogo profético,
trozo de los Nabíes
por donde nuestro rito
se distingue un poquito
del de los sefardíes;
y el voto que se eleva
por que la dicha llueva
sobre los gobernantes
y por que, gobernando
sin abusar del mando,
se muestran tolerantes;
y la Complementaria,
nostálgica plegaria
en que se evoca el cruento
sacrificio sabático
que ordena el Testamento;
y el sermón hipostático
que, acerca del fragmento
del Pentateuco propio
de la huyente semana
meldado en la mañana,
pronuncia, con acopio
de doctrina erudita,
el arquiperacita.

Y las modalidades
de la misa israelita
en las solemnidades,
en las festividades
cuyo comienzo, antaño,
fijaba el Sanedrín
y que hoy, en suelo extraño,
se conservan sin fin,
ilesas y sin daño,
de confín a confín:
Primer Día del Año
o Primera Neomenia,
Día de la Expiación
o Sabat Sabatón,
Cabañas o Episcenia,
Gozo o Exultación
de la Legislación,
Dedicación o Encenia,
Desinsaculación
o Suerte o Bolillas,
Pascua y Pentecostés.

Y las mil maravillas
que fueron una vez
y no han sido después;
las de los viejos tiempos,
ante cuya belleza
las de hoy son impureza,
desolación y lempos,
arambeles y trapos,
harapos y guiñapos.

La proseuca portátil
erigida al Eterno
en el destierro arrátil.
Aquí el altar externo
o de los holocaustos,
que regaban, exhaustos,
el corderillo tierno,
la tórtola tranquila;

y más allá la pila,
con cuyas detersorias
aguas expurgatorias
hacían, tras las dos
matanzas ordinarias,
sus abluciones diarias
los ministros de Dios.
Y ya en el tabernáculo,
el íntimo espectáculo
del sancta: sus dos velos
–dos cielos paralelos–;
la mesa, cuyos panes
eran –con beneplácito,
Cayo Cornelio Tácito,
de tus ilustres manes–
delectabilis cibus,
y privativo goce
del clero, y doce, doce
por ser doce las tribus;
el almenar, si grave,
ingrávido de llamas;
y el delicado y suave
altar de los timiamas,
sobre el que ardían éstos,
que –celestial comuña,
exquisitos compuestos
de estoraque, de uña,
de gálbano y de olíbano–
daban, como la veste
de la morena agreste[102],
la fragancia del Líbano.

Y en el sanctasanctórum,
el arca de la alianza,
que contenía –quórum
de bienaventuranza–
tres cosas de la vida
del pueblo de Jehová:
las tablas, el maná
y la vara florida,

y que, como es notorio,
estaba revestida
por el propiciatorio,
cubierta por las alas
de dos áureos querubes
y por últimas galas
coronada de nubes
y tenía a su lado
—nueva excelsa corona—
no un mero duplicado
del rollo venerado,
sino, según lo abona
la fama, su preciado
original, legado
por Moisés en persona.

Y los templos estables,
aunque no más durables,
que siguieron a aquél:
el que el dios de Israel
no quiso de David
(David, hombre de lid,
había sido cruel;
lo es quienquiera comande
mesnada de cuartel);
y el de Zorobabel;
Y el de Herodes el Grande.

Y el gallardo pontífice,
el sumo sacerdote,
recio como un islote.
Y —trabajos de artífice—
su efod y su perfecto
racional sin defecto,
que a título de emblemas
traía doce gemas,
como también a guisa
de doble pitonisa,
de oráculos vernáculos,
los Urim y Tumim,

por quienes Elohim
dictaba sus oráculos.
Y los demás cohenes.
Y luego los levitas.
Y luego esos rehenes
con mucho de eremitas
que eran los natineos.
Y en fin los cenobitas
llamados nazareos.

Pero ya estoy al cabo
de mi peregrinaje.
Ya percibo el ultraje
y observo el menoscabo.
El frente de la aljama
ostenta una moldura
en forma de hexagrama
e inscripta en la figura
como en un marco artístico
—epígrafe adorable,
tetragrámaton místico—
la palabra inefable:
Jehová, que el religioso
suple por Adonái,
tetragrama piadoso
como más no lo hay.

Es cierto que los viles
autores del asalto
no han llegado tan alto;
pero sus proyectiles
—mejor dicho, sus almas—
se han estrellado a modo
de vómitos de lodo
sobre las róseas palmas
que encima de la puerta,
bajo el delta eminente,
hacen abacialmente
—digitación experta—
el signo del cohén,

y han rodado también,
a manera de inmundos
gargajos nauseabundos,
por las inmaculadas
columnas entregadas.

Mas es extraordinario.
Ya no siento el deseo
de entrar en el santuario.
Hebreo, muy hebreo,
pero no por la fe;
judío, pero ateo,
me digo: "fariseo,
"¿lo desagraviaré?
"Mi lugar ¿está aquí?
"El sitio ¿es para mí?"
Y me voy a un café.
Nuestra edad es de guerra,
y los grandes ejemplos
no saldrán de los templos
para inundar la tierra.

NIGRICIA

El sentir de la mayoría
suele pasar por el mejor,
pero bien puede ser peor
que el sentir de la minoría.

Como los blancos son los más,
mientras los negros son los menos,
los blancos dicen ser los buenos
y pintan negro a Satanás.

Pero hay blanco traidor y aleve,
con un alma como la pez,
y negro puro y sin doblez,
con un alma como la nieve.

Los negros son nuestros iguales
aunque muchos digan que no.
Entre el negro más negro y yo
no hay diferencias esenciales.

Todo negro viril y franco
tiene amor a su raza negra
y siente y dice que se alegra
de ser negro en lugar de blanco.

Hay que ser consecuente o ruin.
Hay que ser uno o no ser nada.
Esto parece una bobada.
Ya la decía San Martín.

Como los negros, los judíos
somos también una Nigricia
en que se ceba la injusticia
de una Blanquilandia de impíos.

¿Sufriremos la gran derrota?
¿Moriremos en la demanda
bajo la bota del que manda,
de aquel que manda con la bota?

Quizá sí; pero ¡qué más da!
Si el infortunio nos desguarne,
sólo será de nuestra carne;
de la razón no lo será.

TEOLOGÍA

Dada su esencia, Dios es perfecto y en consecuencia
bueno del modo y en el sentido más absoluto,
y no podría, no obstante toda su omnipotencia,
seguir gozando del atributo de la existencia
si se maleara como los hombres o como el bruto.

Y sin embargo, Dios es siniestro, torvo y sombrío.
A los virtuosos da vida y muerte trágica o triste.
A los canallas ceba y ahita de poderío.
Dios es perverso. Dios es hereje. Dios es impío.
¡Bah! Dios no existe.

PATRIA

Una cosa es la patria y otra cosa
es en cambio el país o la nación.
La patria es una idea generosa
y la nación es su realización.

La patria es la justicia y el derecho,
la hermosa perfección del ideal;
la nación es la patria vuelta hecho,
la ruda imperfección de lo real.

Distintas son las cosas y sus nombres,
y la culpa está sólo en el país
cuando sus gobernantes o sus hombres
nos cascan la mollera o la nariz.

La patria no es jamás antisemita.
No lo es ni puede serlo, como Dios.
Y si el país lo es, el israelita
no debe reprochárselo a los dos.

Pero, eso sí, vivimos en la tierra
y queremos palabras y algo más.
¡No nos den patrias para darnos guerra!
¡Dennos naciones, pero dennos paz!

SION

You Jew journeying in your old age through every risk
to stand once on Syrian ground!
You other Jews waiting in all lands for your Messiah!

Walt Whitman

–Las leyes te agasajan con la ciudadanía
y tus conciudadanos con la persecución,
y has concebido el sueño de una nación judía
y te ves, oh dulzura, ciudadano de Sion.

Pero si las naciones nos brindan en su seno
una igualdad jurídica sin igualdad real,
¿nos colmarán con ambas en otro seno ajeno?
¿Es la virtud que ejercen extraterritorial?

Y aunque tu sueño admita realización hoy mismo,
¿pide un orbe que encierra naciones a granel
otra nación que oponga con su nacionalismo
a los pueblos gentiles y al pueblo de Israel?

Y aunque no conozcamos tan fatales extremos,
Sion, nacionalizada, ¿nos emancipará?
¿Cómo la habitaremos? ¿Cómo la adoptaremos?
Ciudadanos de aquende, ¿lo seremos de allá?

Forjémonos un sino más áspero y grandioso.
Luchemos por el mundo; por un mundo mejor.
Por el acabamiento de un orden tenebroso.
Por el advenimiento de un orden superior.

–Nación, hogar, refugio, la tierra prometida
vuelve a sus hijos pródigos la humana integridad;
permite a esos Anteos vivir con nueva vida:
vivir difícilmente, pero con dignidad.

Acaso toda patria sojuzgue al forastero,
como, Satán mediante, quebrantó Dios a Job;
pero tras haber sido centurias extranjero
¿será por un instante xenófobo Jacob?

Tal vez Sion constituya la flaca panacea
de algunos de nosotros, que no de los demás.
¿Y tan sólo por eso no querremos que sea?
¿Odiaremos lo menos por amor a lo más?

Luchemos por la tierra que queda hacia la aurora;
luchemos por las tierras que pisan nuestros pies.
Logremos unos pocos la plenitud ahora;
¡ya lograremos todos la plenitud después!

GIMNASIO

Magnífico, muchachos.
Magnífico, por machos.
Difíciles escalas
que suplen a las alas.
Y cuerdas resbalosas,
ya lisas, ya nudosas.
Anillas para giros
más leves que suspiros.
Y barras para vueltas
ingrávidas y sueltas.
Garrochas para saltos
bien largos y bien altos.
Y potros para el brinco
labrado con ahínco.
Y el cosmos de resortes
de todos los deportes.
Y el fulcro y la palanca
que otorga el arma blanca.
Puñales y machetes.
Espadas y floretes.
Y el rojo y feroz riego
que escupen las de fuego.
Bombarda y culebrina.
Mortero y carabina.
Trabucos, tercerolas,
mosquete y arcabuz.

Revólveres, pistolas
y el tanque y el obús.

Espléndido, Sansones.
Espléndido, campeones.
Los tiempos son de guerra.
No hay paz sobre la tierra.
La historia se decide.
La especie se divide.
Se raja en dos mitades.
En dos humanidades.
Aquende están los probos;
allende están los lobos.
Aquende los hermanos;
allende los villanos.
A un lado los selectos
y al otro los abyectos.
A un lado la nobleza
y al otro la bajeza.
¿Caerán los elegidos
en vez de los bandidos?
¿Caerán los caballeros
y no los bandoleros?
Caerán si por suicidas
no piensan en sus vidas.
Si dejan, inconscientes,
de armarse hasta los dientes.
Caerán con su derecho.
Caerán con su razón.
Caerán si falta pecho.
Si falta corazón.

Bravísimo, Davides.
Bravísimo, adalides.
No basta ser un justo;
se debe ser robusto.
No basta ser la frente;
se debe ser valiente.
Que el santo de hoy en día
rebose de energía.

Que, Abel de nuevo cuño,
se imponga con el puño.
Se imponga a bofetadas.
Se imponga a cuchilladas.
Legiones caniceras
agitan sus banderas.
Se ven por todas partes
sus negros estandartes.
Corred a la vanguardia.
Corred y estad en guardia.
Volad a la defensa.
Volad contra la ofensa.
Cadáveres e ilotas
saldrán de las derrotas.
Los faltos de bravura
se irán como basura.
Se irán con su idealismo.
Se irán con su virtud.
Se irán sin heroísmo.
Se irán de ineptitud.

Un hurra, Macabeos.
Un hurra, por hebreos.
Legión, mas no siniestra.
Legión, pero la nuestra.
Venid. Oíd la grita.
La grita antisemita.
Venid. Sólo los necios
aguantan los desprecios.
Romped con los garrotes
la crisma de los zotes.
Quemad con los fusiles
el rostro de los viles.
Mostrad vuestra conciencia.
Mostradla con violencia.
Probad vuestra justicia.
Probadla con sevicia.
Cortad de sobre el mundo
la tiña del inmundo.
Raed del universo

la lepra del perverso.
Salvad de los vestiglos
la esencia de los siglos.
De manos de las furias
la flor de las centurias.
Y acaben los judíos
que esgrimen el *salom*
Y advengan los bravíos
que ahorquen el pogrom.

JUDAÍSMO

El insigne Maimónides resumió nuestro credo
en trece interesantes artículos de fe.
Los llamo interesantes, mas no se tenga miedo:
los doy por conocidos; no los transcribiré.

El humano que acepta los trece, pertenece,
sin otros requisitos, al gremio de Jehová.
¡Mirad qué buen judío! ¡Se mantiene en sus trece!
"Mantenerse en sus trece" viene de ahí, quizá.

Más tarde, Josef Albo determinó diez ripios
en los trece principios del hacán cordobés;
demostró en un tratado que los trece principios
son al fin y a la postre reductibles a tres.

Yo, posterior en siglos a Albo, considero
que su poder de síntesis pecaba de común.
De los trece principios no hago tres, sino cero.
Soy, a lo que parece, más sintético aún.

De los trece principios apenas si comulgo
con el número trece, y ello, en primer lugar,
por la razón bastante de que lo execra el vulgo,
de que lo teme y odia la estupidez vulgar.

También por el motivo de que está calumniado
y de que, calumniado, se parece a mi grey;
de que se lo denigra con torpe desenfado
y de que nos hermana la misma dura ley.

También porque en la hipótesis de que fuese funesto,
de que fuese nefasto, maléfico y fatal,
sería —y justamente lo amaría por esto—
el guarismo simbólico de la suerte racial.

Y en fin porque mi cálculo de probabilidades
me muestra y me demuestra que su difamación,
más que de extravagancias o de casualidades,
emana de la inquina por nuestra religión.

Volviendo a los principios y dejando su número,
repito que ninguno suscita mi piedad.
Que me rompan el alma; que me quiebren el húmero.
No diré de uno solo que encarna la verdad.

No me gusta ninguno de los trece, Dios mío.
A ninguno de ellos podría serle fiel.
Y sin embargo ¡vaya si soy un buen judío!
¡Vaya si soy un brote del árbol de Israel!

JUDEIDAD

Bendita seas, cosa judía,
luz refulgente y esplendorosa,
maravillosa filosofía,
sabiduría maravillosa.

Por ti, no obstante ser un pigmeo,
gano esas cumbres sobresalientes
que sin la ayuda del quid hebreo
tan sólo alcanzan los excelentes.

Por ti me yergo. Por ti me alzo.
Por ti descubro todo lo oblicuo.
Por ti me choca todo lo falso.
Por ti me hiere todo lo inicuo.

Por ti me alejo de la impostura.
Por ti me aparto de la bajeza.
Por ti comulgo con la cordura,
con la justicia, con la belleza.

Por ti me río de las sandeces
y estupideces de mucho ismo.
Por ti me río no menos veces
de las sandeces del judaísmo.

ANTROPOLOGÍA

...las doce tribus de narices era,
...muchísimo nariz, nariz tan fiera,
que en la cara de Anás fuera delito

Quevedo

Mais sachez que nous le faisons
après avoir observé, depuis trente
siècles, qu'un grand nez est le signe
d'un homme spirituel, courtois,
affable, généreux, libéral...

Cyrano de Bergerac

¡Oh narigón judiego! Los tontos se divierten
mirándote y llamándote, no sin razón, prodigio.
Pero del verdadero prodigio nada advierten.
Te miran y no advierten que eres un gorro frigio.

MENÚ

¡Oh hígado picado!
¡Oh sopa de bolluelos de cenceño majado!
¡Oh pescado relleno, aderezado
con sisimbrio rallado
o con pepino salpresado!
¡Oh pellejo de cuello de gallina relleno,
servido juntamente con gachas de alforfón!
¡Oh ravioles de trigo sarraceno,
de jigote, de requesón!
¡Oh potaje de zanahorias!
¡Oh glorias culinarias! ¡Oh legítimas glorias!
¡Oh reducto de tradición!

MESTIZO

Sí, yo quiero una patria judía en Palestina,
allá en el suelo en que Isaac nació;
pero mi patria propia la quiero en la Argentina,
la quiero aquí donde he nacido yo.

Consecuente y altivo,
profundo y más profundo,
amo lo primitivo y lo nativo,
lo autóctono y lo oriundo:
el Líbano escoltado
de cedros lujuriantes
como el Ande rondado
de cóndores pujantes;
la pequeña llanura de Sarón,
el minúsculo valle del Cedrón
como la pampa ubicua, cielo agreste,
fondo del mar celeste;
el Jordán como el Paraguay,
el Paraná y el Uruguay;
la Mar salobre del Legislador
y la Mar Dulce del Descubridor;

la aldeana y lugareña
metrópoli jerosolimitana,
ciudad santa judía, cristiana y musulmana,
y la cosmopolita metrópoli porteña,
capital sudamericana
de la progenie humana;
a Josué, que cruzó el Jordán
y conquistó para Israel
la tierra de la leche y de la miel,
como al gran capitán
José de San Martín,
que dejando a su espalda la tierra del ombú
pasó la cordillera y —altísimo botín—
emancipó a los pueblos de Chile y del Perú;
a Moisés, que sacó a su grey
de debajo del yugo
de un faraón verdugo
y le dictó la ley
del Sinaí,
como a Justo José de Urquiza,
que salvó a sus hermanos en intrépida liza
de Rosas, el tirano dos veces carmesí
—una por el sangriento frenesí
y otra por la divisa—
y les dio en San José
la ley de Santa Fe;
al rey David,
que por gracia suprema fue vate y adalid,
y al presidente Mitre, que con prestancia suma
fue gran hombre de pluma
y gran hombre de lid,
retoño de Cervantes y retoño del Cid;
a Salomón, que tanto
se inclinó a la sabiduría,
y a Sarmiento, que no cedía
menos a su prestigio y a su encanto;
el Nueve de Ab, día de llanto
por el acabamiento de la nación judía,
como el Nueve de Julio, día de gozo y canto
por el advenimiento de la mía;

los salmos y los trenos
igual que los romances
(los romances, tan buenos
para todos los lances);
la Tora y el Quijote;
la Cábala y los versos de Góngora y Argote.

Argentino y judío, no reniego
de lo argentino ni de lo judiego,
de mi argentinidad
ni de mi judeidad.
Antes bien a las dos me apego;
antes bien a su dualidad,
a su dúplice realidad,
sutilmente me entrego
para que no se trunque mi personalidad.
Pero mi nacionalidad
no es este gentilicio y solariego
modo de ser que integra mi individualidad,
sino aquel otro indígena, troquelado en el cuño
de mi terruño
y hasta diré de mi ciudad,
y mi civismo y patriotismo
es todo entero argentinismo,
y argentinismo de verdad.
Mi judaísmo es también fuerte,
mas sin embargo es otra suerte
de solidaridad.

·   CRISTOS

Tú fuiste, viejo hermano, un gran hebreo
dulce y paciente, soñador y pío.
Yo soy un pequeñísimo judío
agrio y rebelde, agnóstico y ateo.

Tú pusiste en lo alto tu deseo
y ejerciste su fácil señorío.

Yo he centrado aquí abajo mi albedrío
y nada de aquí abajo señoreo.

Tu vida fue dichosa y envidiable,
inclusive en el tránsito espantable.
Yo siempre he estado y estaré en un potro.

"Mi reino no es –dijiste– de este mundo."
Pensabas: "Es del otro, del jocundo."
El mío no es de éste ni del otro.

AMIGOS

Tres o cuatro cristianos y otros tanto judíos
han sido en lo pasado nobles amigos míos.
Los he querido mucho, pero mi mala suerte
los puso a todos, tiernos, en manos de la muerte.

Tres o cuatro judíos y otros tantos cristianos
han sido amigos míos tambien, pero villanos.
No están en el gehena; no están en el infierno.
Viven. ¡Qué digo viven! Tienen algo de eterno.

POBREZA

El mundo cruel nos hace el cargo
de acumular sin etiquetas,
en nuestras arcas y gavetas,
el oro cínico y amargo.

Yo no he tenido, sin embargo,
con qué comprarte unas violetas.
Sólo he tenido mis cuartetas.
Sólo esto tengo; el arte es largo...

El mundo necio y corrompido
dice también que somos seres
de una codicia contumaz.

Y sin embargo, me has querido.
Y sin embargo, aún me quieres.
Y sin embargo, me querrás.

COMPENSACIÓN

Debo a mi fértil condición judía
un triunfo y muchísimo fracaso.
Mi mucho fracasar no viene al caso
y mi triunfo es éste: mi poesía.

Postergado mil veces, equilibro
la desazón de mis postergaciones
con la dulce reacción de mis canciones,
con la venganza plácida del libro.

Capaz de sacar miel de mi amargura,
creo que no he perdido la partida.
He fracasado, mísero, en la vida,
pero he triunfado en la literatura.

La suerte adversa me sentó en su potro
para hacerme *cantar*... cosas de mirlo.
Soy un ilota, pero sé decirlo.
Váyase, pues, lo uno por lo otro.

DESLINDE

El judío ortodoxo me dice mal judío
porque no tengo gana de ser devoto y pío
y el vil antisemita judihuelo emperrado
porque no tengo gana de ser un descastado.

El patriota fanático me dice mal patriota
porque no disimulo mi sujeción de ilota
y el universalista patriotero mezquino
porque no disimulo mi sentir de argentino.

Judío a mi talante, lo soy con la reserva
de no observar de todo lo que Israel observa,
de los dos judaísmos que en su historia discierno,
sino el eterno soplo del judaísmo eterno.

Patriota a mi manera, lo soy sin el prurito
de negar que las patrias encarnan lo finito
y obrarán injusticia, sinrazón y amargura
mientras su pura esencia no sea esencia pura.

Contradictorio o lógico, disparatado o cuerdo,
¿qué me importa, poeta, que nadie esté de acuerdo
ni con mi judaísmo ni con mi patriotismo
si yo, siendo sincero, lo estoy conmigo mismo?

CEMENTERIO

Amigos, quantos ovystes
Plazer con Alfonso en vyda,
De su muerte tan plañida
Sed agora un poco tristes,
O rreyd commo reystes
Syenpre de ssu dessatento,
Oyendo su testamento,
Quiça tal nunca lo óystes.

Alfonso Álvarez de Villasandino

Las inhospitalarias ciudades medievales
reunían y hacinaban a mi genial simiente
—leprosa del espíritu, leprosa de la mente—
en arrabales, barrios o calles especiales.

Las urbes ya no infligen cuarteles a los míos.
Sólo con las rameras hacen algunas eso.
Pero los míos siguen, extraños al proceso,
formando calles, barrios y arrabales judíos.

Y si al transirse dejan el ghetto cotidiano,
es por el ghetto póstumo que entonces los convoca.
La frase "el otro barrio" no tendría en su boca
sentido traslaticio, sino sentido llano.

Los judíos porteños no carecen de calle.
Como sus consanguíneos. Como sus ascendientes.
Y si no, que lo diga, por ejemplo, Corrientes.
Y si no, que lo diga, por ejemplo, Lavalle.

Y expiran, y la evacuan, y vuelven a estar juntos
—a estar juntos de veras, a fundirse indistintos—
en esta suburbana judería de extintos,
aljama de finados o ghetto de difuntos.

Marcho por el osario. (Me atrae la palabra.
Me atrae por su añejo gustillo antisemita.)
Recorro la almacabra. (También me solicita
por su raíz fraterna, la dicción almacabra.)

¡Oh plantas carboníferas! ¡Oh turba de papáveres!
¡Oh almácigo de hombres hipernarcotizados,
metidos bajo el humus y mineralizados!
¡Oh bosque humano fósil! ¡Oh hullera de cadáveres!

Aquí tenéis, judíos, la tierra prometida.
Jehová asignó dos tierras [103], y la de aquí, sin dolo.
Una a la especie entera y otra a Israel tan sólo.
Una para la muerte y otra para la vida.

Y no podéis quejaros. ¡Compensación siniestra!
Os dio de las dos una, mas ésa ¡con qué celo!
¡Ninguna tierra es vuestra como solar o suelo,
pero como subsuelo toda la tierra es vuestra!

Aquí, bajo estas losas, descansan dos amigos.
Los dos murieron jóvenes, en cierne todavía.
Dios, que no gasta escrúpulos ni mojigatería,
se desprendió de ellos como de un par de higos.

Aquí descansa Féder. Multiplicó sus siembras.
¿Presentiría el triste la noche prematura?
¡Qué amante de mujeres y de literatura!
Yogaba con los libros y leía en las hembras.

Aquí descansa Zimmerman. Era dicharachero,
donairoso y festivo, retozón y jocundo.
A pesar de su origen, reía por el mundo.
De él queda un doloroso recuerdo placentero.

No lo ponía grave sino una sola cosa:
la pena de un amigo, la pena más ajena.
¡Y cómo se afanaba por aliviar la pena!
¡Cómo se desbordaba su fuente generosa!

Quemó sin decaimientos el último cartucho.
Próximo a la agonía, se despidió del hijo.
Le acarició los bucles y sonriendo le dijo:
"¡Adiós, amigo mío; que se divierta mucho!"

Aquí, junto a la linde, yacen los cuerpos yertos
de los desmazalados que apuraron su hora.
Los repelió la vida. Se los repele ahora.
Constituyen el ghetto del ghetto de los muertos.

Aquí hallará mi carne reposo putrescible,
y mi mujer, mis hijos y mis admiradores
vendrán a visitarme con flores… ¡Oh, con flores!
¡Con órganos sexuales! ¡Con vida irreprimible!

Pero olvidaba, flojo, mi voluntad postrera.
De no arder en la plaza, lo haré en el crematorio.
¡Viejo tizón judío! ¡Tizón expurgatorio!
Tienes la luminosa vocación de la hoguera.

La religión judía –que no es el judaísmo–
proscribe seriamente las incineraciones.
La cristiana interdice, también, las cremaciones.
En resumidas cuentas, a mí me da lo mismo.

Lo he consagrado todo, pero no espero nada.
Ni de mi propia gente. Ni para mi ceniza.
Para mi descastada ceniza advenediza.
Para mi endemoniada ceniza excomulgada.

Junto a un Río de Babel

(1965)

AXIOLOGÍA

El hombre mejora
la naturaleza.
Le añade lo suyo:
justicia; belleza.

Reforma y rehace
toda la creación;
muda el campo en campo
de concentración.

REPARTO

¿Quién excogitó al dios único
de toda la humanidad?
¿Quién prohibió al imaginero
representarlo jamás?

¿Quién proclamó los principios
de la justicia social?
¿Quién al hombre y aun al bruto
redimió con el sabat?

¿Quién estableció las reglas
de la conducta moral?
¿Quién soñó un pueblo de santos,
una nación ejemplar?

¿Quién profetizó la era
de la paz universal,
de un mundo beatificado
por las artes de la paz?

¿Y quién engendró y parió
la hoguera inquisitorial?
¿Quién los campos de la muerte?
¿Quién las cámaras de gas?

Somos el pueblo de Dios,
siquiera porque en verdad
no nos ha correspondido
ser el pueblo de Satán.

PARALELO

Hay delitos imposibles,
y el nuestro lo es de mil modos;
crímenes irredimibles,
y el vuestro lo es sobre todos.

Tan imposible es el nuestro,
que se titula deicidio;
tan irredimible el vuestro,
que se llama genocidio.

MATAR

Cuando Yahvé dijo a mi gente:
"No matarás", harto sabía,
siendo, como es, omnisapiente,
que mi gente no mataría.

Bajo el mandamiento aparente,
con irónica hipocresía,
no le hacía, por consiguiente,
nada más que una profecía.

Y aun se la hacía, con proterva
disimulación y reserva
capciosamente mutilada.

Pues de habérselo dicho todo
le habría hablado de este modo:
"No matarás: serás matada".

PREJUICIOS

Cuando te conduces mal,
¡oh qué judío que eres!
Cuando te conduces bien,
¡oh cómo no lo pareces!

BARBA

Ves lo menos: que usamos
la barba muy espesa;
no ves lo más: que somos
la barba de la Tierra.

SENSIBLES

¿Cómo pueden ser sensibles
innúmeros individuos
a todo dolor humano
menos al dolor judío?

COSMOLOGÍA

No hay sitio para nosotros
en este mundo perverso.
Nuestra estirpe es un error
en el plan del universo

PETRÓLEO

Cuando el mar de tu sangre subió tanto
que ofendió las narices de tus prójimos,
tus prójimos olieron sabiamente
pañuelos empapados en petróleo.

NEOJUDÍOS [104]

¡Hola, luxemburgueses y franceses
y belgas y holandeses,
daneses y noruegos,
estonios y letones, lituanos y polacos,
austríacos y checos y eslovacos!
¡Oh yugoslavos, albaneses, griegos!
¡Lejanos indochinos!
¡Remotos filipinos!

Hasta hace poco éramos nosotros y vosotros.
Nosotros los judíos y vosotros los otros.

Nosotros los abyectos;
vosotros los selectos.
Nosotros los alógenas y exóticos,
los raros y estrambóticos;
vosotros los autóctonos e indígenas,
los cuerpos aborígenes y las almas terrígenas.
Nosotros los expulsos, los viles desterrados;
vosotros los terrícolas, clavados y enraizados.
Nosotros los errantes;
vosotros los estantes.
Nosotros los apátridas;
vosotros los eupátridas.

Y ahora somos todos la hez y el estropajo.
Nivelación se ha hecho por abajo.
Y ahora somos todos judaísmo.
Nivelación se ha hecho en el abismo.
Y ahora somos todos —nosotros y vosotros—
judíos, bien judíos los unos y los otros.
Judíos sempiternos
y judíos modernos,
judíos permanentes
y judíos recientes,
judíos perennales
y judíos actuales,
judíos barbicanos y judíos mancebos,
¡judíos viejos y judíos nuevos!

¡Salud, judíos nuevos, neojudíos!
¡Salud, hermanos nuestros! ¡Salud, hermanos míos!

MUÑECA

Dios no es un viejo riguroso,
sino una niña dulce y cruel.
La niña tiene una muñeca.
Le ha puesto el nombre de Israel.

Ya la viste, ya la desnuda.
Ya le da un beso, ya un trompón.
Ya la mece y la arrulla tierna,
ya la rompe de un manotón.

TEOLOGÍA

Dios hizo un experimento
con un humano: con Job;
luego empleó su experiencia
con un pueblo: con Jacob.

RELIGIÓN

Jacob habría tenido
por qué renegar de Dios;
Dios ha tenido, con serlo,
por qué creer en Jacob.

SIONISMO

La Tierra es mano y el terruño es puño:
pero la Tierra es mano que se cierra
para negar terruño, y el terruño,
puño que se abre para dar la Tierra.

VOTACIÓN

Había llegado el día
veintinueve de noviembre
del año mil novecientos
cuarenta y siete.

La Asamblea General
de las Naciones Unidas
decidía en Flushing Meadow
la suerte de Palestina.

Más de cincuenta países,
por dos tercios de sufragios,
disponían si Judá
recobraría su estado.

Tuve la rara fortuna
y el privilegio excesivo
de hallarme en tal ocasión
presente como testigo.

Sentado estaba a la izquierda
del patio del auditorio,
junto a dos grandes amigos:
Moshé Tov y Jácob Róbinson.

Me obsedía la impresión
de que un tribunal de nietos
juzgaba si merecía
seguir viviendo el abuelo.

La misma impresión me obsede
siempre que evoco la escena.
La misma me obsederá
mientras ande por la Tierra.

Treinta y tres nietos votaron
por la afirmativa, trece
por la negativa y diez
prefirieron abstenerse.

De los votos favorables,
¡qué ingénitos los de Francia,
los pueblos escandinavos,
el Uruguay, Guatemala!

De los votos antagónicos,
¡qué ajenos a su leyenda
y a su historia el de la India
y el de Grecia!

Y en cuanto a las abstenciones,
¡qué fea y decepcionante
la de mi propio país,
la del doctor José Arce!

Concluyó la votación
y me deshice en un llanto
de júbilo y de congoja,
tanto dulce como amargo.

Resurgía esta nación:
mi madre patria judía,
pero no con este amén:
el de mi patria argentina.

DECEPCIÓN

El tribunal de los pueblos
le dio treinta y tres sufragios.
Yo lloraba como un niño.
Yo esperaba treinta y cuatro.

SAÑA

Vinieron las autocracias
y a mi estirpe mutilaron;
vinieron las democracias
y su heredad amputaron.
¡Para cubrir un muñón,
bastaba con un jirón!

RELIQUIAS

Eres alguien que fue pájaro,
pobre pueblo de Jacob;
eres algo que fue nido,
pobre terruño de Sion.

INDEMNIDAD

Regresas a tu heredad,
tras dos mil años de ausencia,
y el corazón se te oprime:
no logras reconocerla.

Te cuesta creer que en esto
se haya trocado la tierra
de la leche y de la miel,
de la oveja y de la abeja.

Cuantos vivieron aquí,
de tu expulsión a tu vuelta,
desolaron sin piedad
cuanto desolable era.

Parásitos de tu historia,
pulgones de tu leyenda,
pelaron tu geografía
con su hambruna y con sus guerras.

Pero al fin llega la noche
y allá sobre tu cabeza
ves brillos indestructibles
y viéndolos te consuelas.

Hay algo de tu paisaje
que no ha cambiado: la vieja
colgadura de tu cielo
con su polilla de estrellas.

EMANCIPACIÓN

Nuestra muerte era pagana
y ha tornado a ser judía;
nuestra muerte era gentil
y ha vuelto a ser gentilicia.

Ya morimos nuestra muerte.
No vivimos todavía
nuestra vida; no vivimos
todavía nuestra vida.

ECLECTICISMO

Tú, Jacob, procurarás
que tu tierra sea un cielo.
Procurarán tus cofrades
que sea, en cambio, un infierno.
Dichoso tú si consigues
que sea un término medio.

REALIDAD

Tu suelo era geografía
y hoy tu geografía es suelo;
tu cielo era astronomía
y hoy tu astronomía es cielo.

RECUPERACIÓN

Tu heredad era memoria
y es de nuevo epifanía;
tu geografía era historia
y es otra vez geografía.

ÁRBOL

En el humus del destierro
te fue imposible arraigar;
en la arena del terruño
te es difícil, nada más.

EFETÁ

Éxodo XXXII, 9; XXXIII, 3 y 5
XXXIV, 9; Deuteronomio, IX,
6, 13 y 27; X, 16; XXXI, 27.

Alguien demostró en un libro,
con gozo mal encubierto,
que somos un pueblo fósil
o en suma requetemuerto.

Nosotros le hemos probado,
con hechos sin desmentida,
que somos un pueblo vivo
y aún en la flor de la vida.

¿No hemos tozado, tozudos,
con Dios mismo? Pues no asombre
que el tozo y la tozudez
empleemos con un hombre.

No nos falta cervigón
y renaciendo –oh agravio–
le hemos dado de patadas
al diagnóstico de un sabio.

Si ayer Toynbee descubrió
que somos un pueblo fósil,
hoy habrá redescubierto
que somos un pueblo indócil.

AUTOGOBIERNO

> Deuteronomio, XVII, 14-20; Jue-
> ces, VIII, 22-23; XVII, 6; XVIII
> 1, XXI, 25; I Samuel, VIII, 4-21.

Tus déspotas, ayer, eran gentiles:
devotos de Jesús, siervos de Alá;
mañana, como tú, serán judíos:
adeptos de Jehová.

INDECENCIA

> Maquiavelo... sentó el principio –odiado
> en público y practicado en privado por los
> estadistas y diplomáticos hasta el día de
> hoy– de que el estado es un fin en sí y no
> debe fidelidad a otra ley que a la de sus
> propios intereses.
> *John H. Randall, Jr*

Hombres decentes, y muchos,
ocurren bajo la Luna;
pero naciones decentes
no hay en la Tierra ninguna.

Tú que ahora constituyes
una indecente nación,
sé tan siquiera la menos
indecente del montón.

ESTADO

Ya, Casa de Israel, eres estado;
ya potencia y poder y poderío;
ya demasiado poco y demasiado
para tu natural y para el mío.

Debes ser cuanto fuiste en lo pasado:
ser alma, ser pasión, ser albedrío;
ser un estado, sí, pero un estado
de espíritu, de espíritu judío.

DIPLOMACIA

> Art. 1º. Apruébase el establecimiento de rela-
> ciones diplomáticas y consulares entre la Re-
> pública Argentina y el Estado de Israel,
> realizado mediante las notas reversales firma-
> das en la ciudad de Buenos Aires, el día 31 de
> mayo de 1949, por su excelencia el señor mi-
> nistro de Relaciones Exteriores, doctor Juan
> Atilio Bramuglia, en representación del go-
> bierno argentino, y por el doctor Carlos M.
> Grünberg, en representación de Israel.
> Art. 2º. Créase la legación de la República
> Argentina en el Estado de Israel, con sede
> en Tel Aviv.
> Art. 3º. Comuníquese al Poder Ejecutivo.
>
> *Ley nacional nº 14.025*
> *del 31 de mayo de 1951*

¿Quién fue el primer legado de Israel
cerca del gobierno argentino?
Yo me embriagué con este vino;
yo me pagué de este laurel [105].

¿Quién logró que el pueblo de Hernández
reconociese al de Isaías;
que así, a la vuelta de un millón de días,
la Sefarad que hogaño, entre los Andes
y el Plata, en estas nuevas geografías,
replanta su vergel de juderías,
cumpliese, también ella, las más grandes
las más osadas profecías?
Yo gané en mi jornada este florón;
yo hube en mi carrera este blasón [106].

¿Quién, celebrando el acontecimiento,
conmemorando el jubiloso evento,
tremoló por primera vez
en la patria de Urquiza la Bandera
de la progenie de Moisés?
Yo me adorné con esta charretera;
yo me lisonjé con esta prez [107].

¿Y quién estableció las relaciones
entre las dos naciones,
entre los dos países
que los próvidos hados
me han conferido por raíces:
el mío y el de mis antepasados,
el de los gauchos y el de los hebreos,
el de Guëmes y el de los Macabeos?
¿Quién selló entre los dos estados
el primero de sus tratados,
su alianza primogénita de solidaridad,
amistad y fraternidad?
Yo gocé de este privilegio;
yo fruí de este don egregio [108].

Pero ¿quién era yo –con humildad,
con el convencimiento de mi trivialidad,
formulo la pregunta que algunos de mi gente
se hacían menos inocentemente–
para que en mí cayera tamaña dignidad,
tan eminente honor, tan esplendente
relámpago de gloria;
para que a mí la historia
me acariciara a la sazón la frente
con la punta de un fleco del borde de su túnica?
¿Quién era yo para esa gracia única?
¿Quién para esa merced sobresaliente?

¿Por qué el estado infante
no designó más obvio mandatario,
más palmario representante?
¿Por qué no al consuetudinario

dirigente sionista A?
¿O al presidente nato de instituciones K?
¿O al ladino rabino situacionista U?
¿O al agarrado potentado Q?
¿O al eximio jurista O
(jurista, no abogado mediocre como yo)?
¿O al famoso prosista Z?

Pues porque, fiel al espiritualismo
de nuestra estirpe, al clásico idealismo
de nuestra raza, prefirió a un poeta
(poeta de bolsillo y para enanos,
de obliterada vena y de pies planos,
de nombradía ruin,
pero poeta al fin).

¿Sospecháis un motivo más pequeño?
¿Presumís que lo escondo en la trastienda?
Tenéis razón. Mas desfruncid el ceño
y engullid vuestra airada reprimenda.
He optado por velaros la realidad pudenda;
he optado por mostraros lo hermoso, lo halagüeño.
¿Quién suele arrebataros: la verdad o el ensueño?
¿Quién ejemplarizaros: la historia o la leyenda?

DIÁSPORAS

Ayer, judíos judiegos,
contorneábamos el mundo,
y hoy, judíos extranjeros,
contorneamos el terruño.

TURISTAS

Un potentado judío
visitó a la madre patria,
pero en suma y a la postre
miró todo y no vio nada.

Yo, judihuelo impecune,
jamás podré visitarla,
pero a diario la imagino
tan bella como lejana.

VOLVER

> Junto a los ríos de Babel.
> *Salmo 137, 1.*

De la Tierra Prometida
salieron nuestros abuelos;
al Estado de Israel
vuelven ahora sus nietos.

No vuelven, empero, todos.
Yo, por ejemplo, no vuelvo.
Y allá van las tres razones
de no volverme que tengo.

No vuelvo –razón primera–
porque no puedo. No puedo
desprenderme de mi patria,
segregarme de mi suelo.

¿Que en todo país gentil
viven los tercos hebreos
en las faldas de un volcán
junto a una boca de infierno?

¿Que el afecto que profesan
a los lares del destierro
suele no verse pagado
con reciprocado afecto?

¡Paciencia! Aquí está mi cuna,
y aquí he pasado decenios,
y aquí he sufrido y gozado,
y aquí mi tránsito espero.

También me retiene aquí
mi castellano porteño,
mi amada lengua materna,
la bocina de mis versos.

No vuelvo –razón segunda–
porque no debo. No debo
substraerme a mi terruño,
transfugarme de su seno.

Tengo que participar
en el denodado esfuerzo
con que mis conciudadanos
tratan de hacerse un gran pueblo.

No vuelvo –razón tercera–
porque no quiero. No quiero
(jamás tal cosa he querido)
lo que no debo o no puedo.

ESPERA

Hace dos mil años
que me esperas, Sion.
Y ahora me llamas.
Y en toda ocasión.

Pero ¿puede un árbol
marchar hacia ti?
Ya no soy un hombre:
he arraigado aquí.

Cuando vuelva a serlo,
me recobrarás.
Tienes que esperarme
dos mil años más.

DESPLAZADO

En Buenos Aires –oriundo
de Jerusalén; saudoso
de mi estirpe y de sus lares–
soy un ciudadano exótico.

Y en Jerusalén –nativo
de Buenos Aires; nostálgico
de mi pueblo y de mi patria–
sería un deudo foráneo.

Y en la vida de ultratumba
–si en tan increíble vida
(póstumo chasco) resurjo–
seré una alma advenediza.

EXTRANJERO

En mi patria –tierra
de la vidalita,
pero no del salmo–
soy un extranjero.

Y en mi madre patria
–suelo de profetas,

pero no de gauchos–
también lo sería.

Y en el otro mundo
–que muero negando–
si allá desemboco,
también lo seré.

DESCLASADO

Yo era otrora un argentino
de segunda
y un judío de la entonces
clase única.

Vino la dicotomía
de esta última,
y heme ahora hasta judío
de segunda.

SUB

Con argentinos gentiles,
subargentino;
con judíos israelíes,
subjudío.

INCERTIDUMBRE

¿Quienes están más seguros?
¿Quienes serán por más tiempo?
¿Los judíos del terruño?
¿Los judíos del destierro?

HOMOGENEIDAD

La Tierra no se compone
de Sion y la expatriación.
Toda la Tierra es destierro;
destierro es la misma Sion.

NOMADISMO

Aunque al fin hemos echado
nuevos dientes estatales,
no nos emanciparemos
de estos pies itinerantes.

Yo no espero que ninguna
mudanza de las edades
nos desquicie de la órbita
de nuestro peregrinaje.

Nuestra patria ha sido siempre
la expatriación: nuestro adarme
de terruño, el sucedáneo
del destierro formidable.

CONSUELO

No me precio de ser hombre,
de ser algo tan impío;
mas, ya que lo soy, me precio
de ser, siquiera, judío.

UNO

Laurel a tu humanismo, visión imaginaria
de un mundo luminoso, diverso del actual;
visión imaginaria o imagen visionaria
de un mundo de justicia, de un mundo racional.

Y a tu humanitarismo, desmesurado empeño
de reconstruir el mundo conforme a la razón,
de racionalizarlo como lo está en el sueño,
de practicar su plena racionalización.

Y en fin a tu hombradía, titánico heroísmo
sin el que no se puede salir de lo vulgar,
sin el que no se puede crear el humanismo
ni el humanitarismo se puede realizar.

Pero tus hombredades ¿no son, las tres, judías?
El humanismo hinche la sacrosanta Ley,
el humanitarismo las viejas profecías
y la hombradía el áspero destino de la grey.

Y las tres cosas juntas ¿no son la cosa hebrea?
¿No son el mesianismo, que nunca morirá?
¿No son el mesianismo del pueblo de la idea?
¿No son el mesianismo del pueblo de Jehová?

Sublimes sugerencias emanan de tu nombre,
Sublimes sugerencias emanarán de él.
Eres un arquetipo genérico del hombre
y eres un arquetipo del hombre de Israel.

SOLEDADES

Yo estoy solo en mi linaje
solitario; solo en medio
de mi pueblo, que a su vez
está solo entre los pueblos.

Soy lo angosto de una angustia,
la bala de un prisionero,
la mazmorra de una cárcel,
un gueto dentro del gueto.

La soledad de un gentil
lleva carne junto al hueso;
la soledad de un judío
lleva corteza y refuerzo.

DESOLACIÓN

¡Soledad de soledades!
¡Soledad sin el consuelo
de ser siquiera una isla
rodeada por el océano!

LEALTADES

Yo quiero a mi patria
y a mi madre patria.
Dos lealtades tengo.
Mil y una lealtades.
Lealtades sin cuento.
Quiero a mis parientes
y a cualquier ajeno.
Quiero a mis vecinos
y a los forasteros.
Y a los provincianos
y a todo porteño.
Y a mis compatriotas
y a los extranjeros.
Y a los blancos
y a los negros.
Y al creyente
y al ateo.

Y a los lindos
y a los feos.
Y al delgado
y al obeso.
Y al talludo
y al pigmeo.
Y al arqueado
y al enhiesto.
Y al de calva
y al de pelo.
Y a los rubios
y al moreno.
Y a los lacios
y a los crespos.
Y al tullido
y al entero.
Y al vidente
y a los ciegos.
Y a los bizcos.
Y a los tuertos.
Y a los mancos.
Y a los rengos.
Y a los simples
y a los genios.
Y a los sabios
y a los necios.
Y a los locos
y a los cuerdos.
Y al silente
y al diserto.
Y al afable
y al severo.
Y a los blandos
y a los tercos.
Y al fogoso
y al sereno.
Y al ufano
y al modesto.
Y al mohíno
y al contento.

Y al lloroso
y al risueño.
Y al potista
y al abstemio.
Y al ahíto
y al hambriento.
Y a los sanos
y al enfermo.
Y al dormido
y al despierto.
Y al poeta
y al herrero.
Y al alumno
y al maestro.
Y al patrono
y al obrero.
Y al profano
y al experto.
Y a los niños
y a los viejos.
A todos los hombres.
A todos los quiero.

MONSTRUO

Yo debo de ser un monstruo,
debo de serlo dos veces,
pues quiero a mis semejantes,
quiero a todos mis congéneres,
y de entre ellos quiero más,
mucho más, no mucho menos,
a los más desemejantes,
a los mas heterogéneos.

HERENCIAS

De mi madre se aprendía
que todo puede expresarse.
Yo despliego mi pensar;
se lo participo a alguien.
Y ésta es la urdimbre dicente
que me ha tejido mi madre.

De mi padre se aprendía
que todo puede callarse.
Yo repliego mi pesar;
no lo comparto con nadie.
Y ésta es la trama silente
que me ha tejido mi padre.

ULTRATUMBA

> Génesis XV, 15; XXV, 8 y 17;
> XXXV, 29; XLIX, 29 y 33

Yo sabía por la letra
de un hebraísmo gigante
que los hombres, cuando mueren,
se reúnen con sus padres.

Hoy sé por mí que también
se reúnen con sus hijos:
sé que mis padres murieron
y se reunieron conmigo.

TESTAMENTO

Por únicos bienes
de mi sucesión,
dejo mi cadáver
(soy un pobretón).

Sin embargo testo;
vaya presunción
(por mis veleidades
soy un ricachón).

Viejo partidario
de la cremación,
te encomiendo, hijo,
mi incineración.

Nada se me importa
de la religión,
ni de su anatema
y abominación.

Sigo por mi ruta
sin vacilación.
Acepto mi sino
de desolación.

La suerte me veda
la repatriación,
y ni mis cenizas
entrarán en Sion.

CODICILO

Junto a los ríos de Babel
Salmo 137, 1

Que no sean
relegadas
a la urna
cineraria,
ni injeridas
en la masa
de una obra
de cerámica,
sino inmersas
en el Plata,
sumergidas
en las aguas
que festonan
—levantada
sobre el podio
de esta banda—
mi porteña
ciudad patria,
laberinto
de mi infancia,
de mi vida,
de mi alma,
de manera
que rehagan
el circuito
de su marcha,
que recobren
sin tardanza
la nativa
trashumancia,
tanto hebrea
como humana,
y asimismo
(de pasada)
que no pueda

profanarlas
ningún bruto
de dos patas.

INMORTALIDAD

Muchos abrigan la fuerte,
la dogmática creencia
de que el alma, tras la muerte,
pervive en alguna suerte
de inacabable existencia.

Pero yo espero, alma mía,
que no seas inmortal,
pues para una alma judía,
si dura hasta la agonía,
ya bastante dura el mal.

INVENTARIO

Y el milagro
y el prodigio
de lo eterno
femenino,
de la novia
que me quiso,
de la amada
que unió al mío,
con denuedo,
su destino.
Y el tesoro
de los hijos.
Y la ofrenda
del amigo.
Y el regalo
de los libros.

Y el deleite
y el suplicio
de hacer versos
tan sentidos.
Y el orgullo
de ser digno
de mi cepa
de argentino,
de mi alcurnia
de judío,
de mi esencia
de individuo.
Y el halago
de estar vivo.
Y el sosiego
de estar listo
para el trance
ya vecino.
Finalmente
me despido
satisfecho
de mi sino.

ARTE

¡Qué profesión, la del arte,
si no judiega, andariega!
Todo artista siempre parte;
siempre parte y nunca llega.

IDIOMAS

Si maridaras consonantes
en el idioma de Isaías,
de buena gana rimarías,
por amor a tus semejantes,

en el idioma de Cervantes.
Mas como escribes tus poesías
en el idioma de Cervantes,
de buena gana trovarías,
por amor a tus semejantes,
en el idioma de Isaías.

LENGUA

Si morara en Israel
y trovara en lengua hebrea,
¿no conquistaría aún
la dicha que se me niega?

¿No me sentiría al fin
ciudadano de primera?
¿No encontraría tal vez
el lector con que se sueña?

Pero un patriota no abdica
su tierra por tierra ajena
y un poeta no repudia
su lengua por la extranjera.

Las lenguas jamás han sido
las mudas de sus poetas;
los poetas serán siempre
las camisas de sus lenguas.

POETAS

Se ha dicho que los poetas
escriben siempre con sangre.
Y es verdad. Verdad tamaña.
Gran verdad irrefutable.

Siempre con sangre han escrito
y escribirán los poetas.
Los austeros, con la propia;
los venales, con la ajena.

PLUMAS

Nuestras plumas son distintas,
oh tú, venal compañero.
Mi pluma es un cortaplumas
y tu pluma es un plumero.

REMANENTES

Los gentiles se han hecho –¡qué gentiles!–
su gran auto de fe con los judíos,
con sus carnes exóticas y viles,
con sus huesos fanáticos e impíos.

Yo me he hecho a mi vez –linda judiada–
mi gran circuncisión con el romance,
con su adjetivación escarolada,
con su venal retórica de lance.

¿Ni comprendéis que un trovador extirpe
las galas de su lengua policroma?
Para endechar el resto de mi estirpe,
me alcanza con el resto de mi idioma.

INSUFICIENCIA

Versos cortos, versos largos...
Es inútil que me empeñe.
Nunca logran abarcarte.
Nunca logran contenerte.

ETAPAS

Mucho he debido aprender
para escribir un soneto;
mucho he debido olvidar
para escribir estos versos.

PEQUEÑECES

Mis versos hebreos
y a la vez iberos
y a la vez porteños
son apenas esto:
los pequeños versos
que el pequeño aedo
de un pequeño pueblo
de pequeño suelo
canta en un pequeño
punto del destierro.

PREMIO

He aquí, sin ambages,
conque sin proemio,
mi tema, de turno:
mi falta de premio.

Conozco una parva
de tipos del gremio;
¿cuál de ellos comparte
mi falta de premio?

Ni soy un muchacho,
ni soy un bohemio:
luego, ¿a qué obedece
mi falta de premio?

Verdad que tampoco
soy un don Eufemio;
¿y ahí estribaría
mi falta de premio?

Mas ningún laureante
piense que lo apremio;
ya justo codicio
mi falta de premio.

Pues tal sucedáneo
para tal abstemio:
¡qué premio –me digo–
mi falta de premio!

GERCHUNOFF

A la memoria de mi amigo
Alberto Gerchunoff

Somos, Alberto, la academia hispana
de los nabíes y de los rabíes
que dobla en sus iberos otrosíes
la unicidad jerosolimitana.

Somos la cuadratura castellana
del círculo judiego, Sinaíes

enladinados, Toras sefardíes,
salmos y trenos a la toledana.

Tú has sido nuestro sumo sacerdote
y has mantenido tu almenar celote
siempre encendido en el turbión opaco.

Te vas y por eterna sobreveste
nos dejas el taled blanquiceleste
que usabas como poncho calamaco.

ESTÉTICA

He envejecido trovando,
como un poeta cabal,
mas trovando, a lo profeta,
sobre el bien y sobre el mal.

He trovado por decenios
y me conozco al final:
yo no siento otra belleza
que la belleza moral.

Traducciones de Carlos M. Grünberg

UN POEMA DE H. LÉIVIK*

Bajo el remiendo amarillo
(Canción de cuna, 1940)

Cierra, hijo mío, los ojos
bajo el remiendo amarillo.
Tu padre en Dachau se encuentra.
Duerme, duérmete, hijo mío.

Tu padre en Dachau ¿qué hace?
¿Y en dónde Dachau se encuentra?
Tu padre es un buen judío;
tú también, hijo, lo seas.

Tras la reja, bajo el látigo,
cae un rostro, tinto en sangre.
Pero no te escalofríes;
hijo, no es el de tu padre.

No te espantaré ya más
con espectros dolorosos.
El remiendo suele ser
ya cuadrado ya redondo.

* Del ídisch C.M.G. *Heredad* 7/8, Buenos Aires, julio-agosto de 1946, pp. 57-58.

Rojo es el remiendo a ratos
y amarillo las más veces.
Hijo, sueña que tu padre
por nuestro umbral aparece.

De improviso abre la puerta
y el cuarto cruza, buscándote,
¿por qué ha de serle difícil
hallar tu lecho colgante?

Ya te acuna, ya te acuna;
ya se acuna él a sí propio;
ya está ya ciendo, yacente;
ya ir a Dachau no es forzoso.

Ya tu padre es tan eterno
como el remiendo amarillo.
Ya goza la paz eterna.
Duerme, duérmete, hijo mío.

POEMAS DE UMBERTO SABA*

Insomnio de una noche de verano

Heme yaciendo bajo las estrellas
en una de esas noches
en que el tétrico insomnio
en placer religioso se convierte.
Mi almohada es una piedra.

Está un perro a dos pasos.
Está inmóvil y mira persistente
hacia un punto lejano.

* Del italiano C.M.G. Revista *Davar* de la Sociedad Hebraica Argentina, Buenos Aires, nº 74, enero-febrero de 1958, pp. 39-44

Se diría que piensa,
que es digno de algún rito,
que por su cuerpo pasan los silencios
del infinito.

Bajo un cielo azulado como éste,
una noche estrellada como ésta,
Jacob soñó la escala de los ángeles
entre el cielo y su almohada
que era una piedra.
En estrellas innúmeras el mozo
contaba su progenie venidera;
en aquella región, por la que huía
de la venganza de Esaú, más fuerte,
un reino indestructible, floreciente
de abundancia sin fin, para sus hijos;
y era la pesadilla de aquel sueño
Dios, que con él luchaba.

La cabra

Yo a una cabra le hablé.
Sola estaba en el prado; estaba atada.
Pasturada, bañada
por la lluvia, balaba.

Aquel igual balido era fraterno
de mi dolor. Y respondí, al principio
por chanza, acto seguido porque eterno
es el dolor y una es su voz, no varía.
Esta voz yo sentía
gemir en una cabra solitaria.

En una cabra de perfil semita
sentía yo quejarse todo otro
mal, toda otra vida.

Partida

¡Oh cuántas esperanzas en el juego!
Mas echadas, después sobre la mesa,
todas las cartas éranme contrarias.

Fue el destino, y lo acepto. No le tuerzo
la cara; no me quejo
como en la vocinglera juventud.
Mas conozco la escala hacia la alteza
que me es posible.
Me levanto y veo
rostros amigos: cuento mi ganancia.

Hoja

Soy como aquella hoja —mira, aquélla—
en la rama desnuda, que un prodigio
tiene aún junta.

Niégame, pues. No apesadumbre eso
tu hermosa edad, que de inquietud se tiñe
y que por mí se atrasa en niñerías.
Dime adiós tú, si yo en decirlo fallo.
Morir nada es; perderte es lo difícil.

Amé

Amé voces trilladas que ni uno
osaba. Me encantó la rima flor
amor,
la más antigua y ardua de la tierra.

Amé aquella verdad que yace al fondo
—casi un sueño olvidado—, que el dolor
amiga redescubre. Uno la aborda
con pavor y ya nunca la abandona.

Te amo a ti que me escuchas y a mi buena
carta dejada al cabo de mi juego.

Amor

Te digo adiós, Amor, cuando te busco;
mi tiempo y este gris así lo quieren.
¡Oh, había en ti la sombra de la tierra,
y el sol, y el alma de un niño desalmado!

Cantos ebrios

Cantos ebrios se alzan y blasfemias
en la hostería suburbana. Aun esto
–pienso– es Mediterráneo. Y ya de azul
se embriaga mi pensar con este nombre.
Materna calma inexpugnable es Roma.
En sus orillas Grecia se enamora
como una adolescencia. Enfoca el mundo
Judea y lo renueva. He aquí cuanto
sonríe, bajo el sol, a mi vejez.
Antiguo mar perdido… Mas la Musa
de ti nacida quiere aún que diga
de ti, con noche en el umbral, palabras.

Cuentecillo

La casa está arrasada,
la casa está arruinada.
Ya no la habita hace mil y una noches.

De su verdeante Alepo se acordaba
la tierna madre como de un jardín.

Y recibía amigas, y temblaba
por el inquieto hijo, y alargaba
pequeñas tazas de café a la turca.

La casa está arrasada,
la casa está arruinada.
Ya no recibe hace mil y una noches.
La arruinó desde el cielo
la guerra
y en tierra
la devastaba el alemán. La pobre
lloraba su miseria y las miserias
humanas. (No podía odiar.) El hijo
huyó a los montes, donde halló a un amigo
caro y con él aventuró la vida.
Eran amigos caros, se tenían
mutual admiración, exageraban
–algo envidiosos– hembras y amoríos.
Eran amigos caros cuando daban
aterradoramente de patadas:
un mulo y un antílope.

La casa está arrasada,
la casa está arruinada.
Pero los dos muchachos aún viven;
también las madres, algo emblanquecidas.

Gratitud

Un año atrás, por este tiempo, en Roma,
tenía Roma y la felicidad.
Gozaba aquélla abiertamente y ésta
callaba por conjuro.
Pero todo
me hacía venturoso a toda hora;
y mi pensar era de un dios creador.

Milán bajo la nieve ya es más triste,
quizá más bella. Han sucedido muchas
cosas que viven todavía en mí,
en esta humana urbe dolorosa.
Me acoge tibia la cocina; un prójimo
reencontrado y perdido, alza los ojos
de imposibles cuadernos y la voz.
Ve las cándidas flores: ve a la madre,
que se encorva, hacendosa; y presentándole
su carucha jovial, dice: "Mamita,
no bien sales la nieve te da un beso";

y el beso aquel mi corazón recibe.

Metamorfosis

"Si acaso tu país no fuese Italia
(lo digo por decir; sé que la quieres)
¿cuál es la patria que te agradaría?"
Callo; él devuelve la pregunta: "¿Y tú?"
Me mira con ojazos que ya tocan
por lo dulce del alma los confines
maternos; forma un nombre como un beso
su boca. Pensativo, nada digo.

Mi silencio endurece sus facciones
y el odio pone chispas en sus ojos.
De no ser porque honran la piedad
los más viejos que él, que en él confían,
se me echaría encima, como encima
de un enemigo.

Ulises

En años mozos costeé Dalmacia.
Allá emergían a la flor del agua
islotes en que un pájaro a las veces
se detenía tenso ante la presa,
cubiertos por las algas, resbalosos,
bellos al sol como esmeraldas. Cuando
la marea y la noche los borraban,
las velas, escapando de la trampa,
huían mar adentro. Hoy es mi reino
esa tierra de nadie. El puerto enciende
sus luces para otros; mar adentro
me impele aún el indomado espíritu,
y el amor doloroso por la vida.

Epílogo

Un diferente y su diferencia*

He reflexionado largamente, desde la niñez hasta la vejez, sobre mi condición y mi situación de judío, de miembro de una familia espiritual minoritaria, inmerso en un mundo poco inteligente y poco tierno, proclive a confundir lo diverso con lo adverso, lo opuesto con lo contrapuesto, lo extraño con lo extravagante, lo otro con lo hostil y con lo aborrecible. Cada humano es una galaxia de diferencias específicas insertas en otros tantos géneros próximos; la más diferenciada de las diferencias; la diferencia por excelencia; en suma, por antonomasia, la diferencia. A mí me ha tocado en suerte ser varón por el sexo, blanco por el color de la piel, judío por la estirpe, argentino, porteño, racionalista, librepensador, hispanohablante, versificador, etc.

Mi diferencia es única, impar, irrepetible. Mis papilas digitales y por ende mis huellas dactiloscópicas ostentan la más absoluta singularidad. Y si la superficie de mi cuerpo ostenta eso, ¿podría no ostentarlo el fondo de mi alma? Mi diferencia es mi indigencia y es mi opulencia: mi indigencia porque es apenas el saldo y el suplemento de las demás diferencias; mi opulencia porque es tanto como su sumando y su complemento. Me sucede con mi diferencia lo que al pájaro con el aire: el pájaro no puede volar fuera de la cárcel del aire, pero cada punto del aire le brinda un punto de apoyo para la palanca de su vuelo. La humanidad es una universalidad de diferencias,

* Discurso pronunciado en la SADE el martes 23 de noviembre de 1965, al final del acto de presentación de *Junto a un Río de Babel*.

291

un gigantesco organismo de diferentes órganos conferentes, una omnímoda mano de divergentes dedos convergentes, una pánica orquesta de solitarios instrumentos solidarios, donde cada diferencia, cada órgano, cada dedo, cada instrumento cumple su función inmanente y cumple su función trascendente: la inmanente de obrar y la trascendente de cooperar.

Ninguna diferencia sobra en esa universalidad, y si algo falta en ella es las diferencias futuras. Cuando un hombre nace o exulta todos los demás se enriquecen; cuando un hombre padece o muere, todos los demás se empobrecen. El bien de un dedo redunda en bien de todo la mano; el mal de un dedo redunda en mal de la mano entera. Mi diferencia es un hecho, y de este hecho emana un derecho: mi derecho a ser diferente. Y también emana un deber: mi deber de ser diferente. Y de mi derecho a ser diferente emana una obligación: la obligación, que tienen todos los demás, de respetar y alentar y amar mi diferencia. Yo amo mi diferencia con el amor con que la amaría si fuese otra diferencia y con el amor con que amo las diferencias ajenas. He aquí mi modo de amar a mi prójimo como a mí mismo. Yo he nacido para abogar en verso por la diferencia y para hacerlo con el ejemplo de mi diferencia y en especial de estos dos atributos integrantes de mi diferencia: mi judeidad y mi argentinidad.

De mis escasos lectores, casi todos juzgan que mi verso es demasiado razonante, que en su léxico y en su sintaxis se conserva demasiado cerca del habla, con suicida preterición de la regla de oro del famoso alejandrino de Mallarmé: *"donner un sens plus pur aux mots de la tribu"*, y que por aquello y por esto escala difícilmente el abrupto monte de la poesía y se eleva raramente al cielo del lirismo. Tienen razón. Todas las diferencias son igualmente válidas, pero no todas son igualmente valiosas. Soy un poeta diminuto: mi musa sería música, si música fuese el diminutivo de musa. Pero no me importa. Ninguna diferencia se justifica siendo así o asá; toda diferencia se justifica siendo. Yo he nacido para abogar por la diferencia y por mi diferencia y para hacerlo en verso opinante, conversacional y deslirizado. Mi diferencia es ésa y estoy conforme y estoy contento con ella.

Permítaseme concluir confesando otro atributo integrante de mi diferencia. Me refiero a mi horror por los privilegios, empezando por aquéllos que me favorecen a mí. Llamo privilegio al don inmerecido, al galardón injusto. Hoy me obseden y me remuerden tres privilegios.

Voy al primero. Suelo cultivar la amistad de un zapatero que hace zapatos de medida. Su oficio es tan útil y tan necesario como el mío y los zapatos que salen de sus manos son verdaderas obras maestras. Sin embargo sus zapatos se gastan por el uso. En cambio (y ello siempre me ha parecido prodigioso) los versos y las prosas, y por lo pronto mis versos, no se borran del papel a medida que se los lee. La palabra escrita o impresa sobre el frágil y vulnerable papel dura más que la tela del pintor, que el mármol del escultor. No hay nada tan duradero (o sea, con arreglo a la etimología, tan duro, tan resistente) como la palabra. Incluso a despecho de las peores circunstancias. En la Edad Media se quemaron cuantos ejemplares del Talmud cayeron bajo los ojos de los fanáticos. Pero la Edad Media ha transido y el Talmud ha sobrevivido. Y aun antes de la invención de la imprenta, y aun antes de la invención de la escritura, el hombre arrancó a los ritmos del lenguaje, con la invención del verso, el secreto de la eternidad de la palabra. Según la tradición rabínica, Yahvé creó el universo por la Tora, para la Tora, con vistas a la Tora, por amor a la Tora. Tora significa doctrina, y más ceñidamente la doctrina del Pentateuco, y más ceñidamente el Pentateuco. Y el Pentateuco ¿no es palabra? Conque, según la tradición rabínica, el universo es el pretexto de un texto, el medio tendiente al fin de la palabra, y la duración de la palabra más cierta que la duración del universo. Y Platón enseña, en el *Timeo,* que "el tiempo es la imagen móvil de la eternidad". ¿Cómo no agregar que todas las demás cosas están en el tiempo y que la palabra es la eternidad, que la palabra inmoviliza el tiempo y lo transfigura en eternidad, que la palabra es la esencia y la llave de la eternidad? No es verdad que las palabras se las lleva el viento; la palabra es el viento del espíritu que arrebata todos los vientos de la materia. Y no es verdad que pueda escribirse en la arena; siempre se escribe en la eternidad; lo escrito, escrito queda.

Y voy al segundo privilegio. Sigo comparándome con mi amigo zapatero. Repito que su oficio es tan útil y tan necesario como el mío y que sus zapatos son verdaderas obras maestras. Sin embargo sus zapatos jamás han sido públicamente aplaudidos. En cambio mis versos han recibido alguna vez el aplauso público.

Y voy al tercero y último privilegio. Al privilegio de este acto. Así como mi entrañable amigo el eminente escultor Víctor Marchese me ha honrado ilustrando con sendas xilografías las seis secciones de mi reciente libro, así siete artistas cuyo nombre es un renombre me han honrado asistiendo a este acto y contribuyendo a su desarrollo. Me han dado, que no prestado, una cuota de su prestigio. De su más alto patrimonio. De un patrimonio que no proviene de herencia o de donación. De un patrimonio que han ganado con más que sudor, con más que lágrimas, con más que sangre: con su espíritu, y que está sellado, no, como en el caso del político o del gobernante, por el consenso democrático de los más o de los muchos, sino por el consenso aristocrático de los mejores.

Los benefactores corrientes, cuando dan, se cortan las uñas, no los dedos: ellos se han cortado los dedos, no las uñas. Han querido premiar, ya que no el resultado del esfuerzo, sí el esfuerzo de un compañero mayor y menor: mayor en días, menor en bizarrías. Han traído el voluntario testimonio de mi pequeño mérito, pero a la vez han traído el involuntario testimonio de su gran virtud. Yo les agradezco, con íntimo agradecimiento, su notable generosidad, y a ellos y al resto de mis oyentes les agradezco la paciencia con que se han servido escucharme.

Carlos M. Grünberg

Glosario

Ab. Quinto mes del año religioso y undécimo del año civil judío, correspondiente a julio y agosto, y en cuyo noveno día se guarda el ayuno conmemorativo de la destrucción del Templo por Nabucodonosor II (586 a.C.) y por Tito (70 d.C.).

Adafina. Olla que los hebreos colocan al anochecer del viernes en un anafe, cubriéndola con rescoldo y brasas, para comerla el sábado (D.R.A.E.).

Adonái. Jehová (D.R.A.E.).

Aladmo. Excomunión judía. (*Jerem,* N. del A.).

Aljama. Sinagoga (D.R.A.E.); judería (D.R.A.E.).

Almacabra. Cementerio de moros (D.R.A.E.).

Almemor. Almimbar, estrado, plataforma, tablado sinagogal.

Almenar. Almenara (compárese D.R.A.E.).

Almenara. Candelabro judío de siete brazos (D.R.A.E.). (*Menorá,* N. del A.).

Almimbar. Púlpito de las mezquitas (D.R.A.E.).

Alquibla. Punto del horizonte, o lugar de la mezquita, hacia donde los musulmanes dirigen la vista cuando rezan (D.R.A.E.).

Arquiperacita. Predicador judío.

Arquisinagogo. Principal de la sinagoga (D.R.A.E.). (*Gabai,* N. del A.).

Barahá. Oración (D.R.A.E.) (*Brajá,* plegaria, bendición. N. del A.).

Ben. Hijo de.

Bulbul. Ruiseñor.

Cadiz. Cierta barahá (*Kádish,* oración fúnebre. N. del A.).

Caraísmo. Doctrina de los caraítas (Caraíta: Dícese del individuo de una secta judaica que profesa escrupulosa adhesión al texto literal de la Escritura, rechazando las tradiciones, D.R.A.E.).

Carne Trifa. Carne desgarrada, carne tabú (compárese D.R.A.E.).
Celote. Celoso (o celosamente) observante del judaísmo.
Cenceño. Pan cenceño, pan ácimo. (*Matzá,* N. del A.).
Cohén. Sacerdote judío (compárese D.R.A.E.).

Delta. Hexagrama, especialmente si lleva inscripta, en caracteres hebraicos, la voz Jehová.
Desinsaculación. Fiesta judía conmemorativa de la salvación de los judíos de Persia por la reina Ester (473 a.C.). (*Purim,* N. del A.).
Desmazalado. Desdichado, desgraciado, desventurado, infeliz, infortunado (compárese D.R.A.E.).

Efetá. Obstinación, renuencia (D.R.A.E.).
Efod. Vestidura de lino fino, corta y sin mangas, que se ponían los sacerdotes israelitas sobre todas las otras y les cubría principalmente las espaldas; esta misma vestidura hecha de lino muy fino y muy bien torcido, y de oro, jacinto, púrpura y carmesí, usada únicamente por el pontífice o sumo sacerdote (D.R.A.E.).
Elohim. Jehová.
Encenia. Dedicación, fiesta judía conmemorativa de la purificación y renovación del Templo por Judas Macabeo (165 a.C.). (*Janucá,* N. del A.).
Enladinar. Traducir del hebreo al español.
Epílogo. Fragmento de los Profetas que se melda cada sabat en la sinagoga, a continuación de la perícope (*Haftará,* N. del. A.).
Episcenia. Cenopegias, fiesta de las Cabañuelas, fiesta de los Tabernáculos (*Sucot,* N. del A.).

Gálbano. Gomorresina de color gris amarillento, más o menos sólida y de olor aromático, que se saca de una planta de la familia de las umbelíferas, espontánea en Siria. Se ha usado en medicina y entraba en la composición del perfume quemado por los judíos ante el altar de oro (D.R.A.E.).
Gehena. Infierno (D.R.A.E.).
Gentil. No judío.
Ghetto. Gueto. Judería.

Háber. Sabio o doctor entre los judíos. Título algo inferior al de rabí o rabino (D.R.A.E.).
Hacán. Sabio o doctor entre los judíos (D.R.A.E.). (*Jajam,* N. del A.).

Hexagrama. Escudo de David, sello de Salomón, blasón heráldico judío, consistente en una estrella de seis puntas formada por dos triángulos equiláteros entrecruzados.

Ídiz. Judeoalemán. (*Ídisch,* N. del A.).

Judengasse. Judería.

Máncer. Hijo de mujer pública (D.R.A.E.). (*Manzer,* N. del A.).
Marrano. Confeso, converso (compárese D.R.A.E.).
Masoreta. Cada uno de los gramáticos hebreos que desde antes de la era cristiana se ocuparon asiduamente en dividir y estudiar los libros, partes, secciones, versículos, palabras, letras y mociones del texto sagrado hebreo, fijando los caracteres gramaticales de cada una de las materias clasificadas, su número, su posición y sus concordancias y diferencias (D.R.A.E.).
Malsín. Cizañero, soplón (D.R.A.E.). (*Malshín,* N. del A.).
Melah. Judería.
Meldar. Leer, y especialmente leer la Biblia en hebreo (compárese D.R.A.E.).
Mihrab. Nicho u hornacina que en las mezquitas señala el sitio adonde han de mirar los que oran (D.R.A.E.). (*Mizraj,* N. del A.).
Moción. Nombre que se da a las vocales y a otros signos que acompañan a las consonantes en las lenguas semíticas (D.R.A.E.).

Nabí. Profeta (D.R.A.E.).
Natineo. Antiguo sacristán judío.
Nazareno. Dícese del que entre los hebreos se consagraba particularmente al culto de Dios: no bebía licor ninguno que pudiera embriagar, y no se cortaba la barba ni el cabello (D.R.A.E.).
Nazareo. Nazareno (D.R.A.E.).
Neomenia. Primer día de la Luna (D.R.A.E.), calendas (*Rosh jodesh,* N. del A.).
Noaquita. Descendiente de Noé; que practica la moral noaquita, la moral del justo.

Osario. Lugar donde se enterraban en España los moros y judíos (D.R.A.E.).

Parasceve. Viernes (compárese D.R.A.E.).
Perícope. Quincuagésima cuarta parte del Pentateuco que se melda cada sabat en la sinagoga (*Parashá,* N. del A.).
Pogrom. Matanza y rapiña de judíos.

Proseuca. Sinagoga.

Puntar. Poner, en la escritura de las lenguas hebrea y árabe, los puntos o signos con que se representan las vocales (D.R.A.E.).

Rabí. Título con que los judíos honran a los sabios de su ley, el cual confieren con varias ceremonias (D.R.A.E.); rabino (D.R.A.E.); don.

Racional. Ornamento sagrado que llevaba puesto en el pecho el sumo sacerdote de la ley antigua, y que era un paño como de una tercia en cuadro, tejido de oro, púrpura y lino finísimo, con cuatro sortijas o anillos en los cuatro ángulos. En medio tenía cuatro órdenes de piedras preciosas, cada uno de a tres, y en ellas grabados los nombres de las doce tribus de Israel (D.R.A.E.).

Retajador. Persona que ejerce el oficio de retajar.

Retajar. Circuncidar (D.R.A.E.).

Sabat. Sábado judío (*Shabat,* N. del A.).

Sabatario. Díjose de los hebreos porque guardaban santa y religiosamente el sábado (D.R.A.E.).

Sabatismo. Acción de sabatizar (D.R.A.E.).

Sabatizar. Guardar el sábado, cesando en las obras serviles (D.R.A.E.).

Salom. Voz hebrea que significa paz, salud, etc., y que, empleada como interjección, constituye el saludo judío tradicional (*Shalom,* N. del A.).

Sanedrín. Consejo supremo de los judíos, en el que se trataban y decidían los asuntos de estado y de religión (D.R.A.E.).

Sarracina. Pelea entre muchos, especialmente cuando es confusa o tumultuaria...; riña o bien pendencia en que hay heridas o muertes (D.R.A.E.).

Sefarad. España; España judía.

Sefardí. Dícese del judío oriundo de España, o del que, sin proceder de España, acepta las prácticas especiales religiosas que en el rezo mantienen los judíos españoles (D.R.A.E.).

Siclo. Moneda de plata usada en Israel (D.R.A.E.).

Sión. Colina epónima de Jerusalén, Jerusalén, Palestina.

Siónida. Poema acerca de Sion, compuesto lejos de Sion.

Sobejo. Capullo, epagoge, prepucio.

Taled. Pieza o tejido de lana, a manera de amito, en cuyos cuatro ángulos cuelgan sendos cordones de ocho hilos, también de lana. Con él se cubren los judíos la cabeza y el cuello en sus ceremonias religiosas (D.R.A.E.).

Tetragrama. Sinónimo reverente con que se expresa, sin pronunciarlo, el nombre de Dios.

Tetragrámaton. Nombre o palabra compuesta de cuatro letras (D.R.A.E.); por excelencia nombre de Dios, que en hebreo se compone de cuatro letras, como en muchos otros idiomas (D.R.A.E.).

Timiama. Confección olorosa, reservada al culto divino entre los judíos (D.R.A.E.).

Tora. Libro de la Ley de los judíos (D.R.A.E.); Pentateuco.

Treno. Por antonomasia, cada una de las lamentaciones del profeta Jeremías (D.R.A.E.).

D.R.A.E.: Diccionario de la Real Academia Española.

N. del A.: Nota del antólogo (las demás notas son de C.M.G.).

Notas

Notas del antólogo

1. Alberto Gerchunoff, *Los gauchos judíos*, La Plata, Argentina, J. Sesé, 1910, 177 pp.
2. Véase en Leonardo Senkman, *La identidad judía en la literatura argentina*, Pardés, 1983, pp. 264-266, la filiación hispano-hebrea y heineana de Espinosa, Gerchunoff, Grünberg y Tiempo.
3. David Viñas, *Literatura argentina y política. De Lugones a Walsh*, Buenos Aires, Sudamericana, pp. 145-146.
4. César Tiempo, *Mi tío Scholem Aleijem y otros parientes*, pp. 48-49.
5. Se reproduce en la presente obra, pp. 83-93.
6. Eliezer Ben-Iehuda (1858-1922), escritor y lingüista, es considerado el padre de la moderna lengua hebrea y autor de su primer diccionario. En 1890 fue uno de los creadores de la Comisión de la lengua hebrea, antecesora de la Academia de esa lengua.
7. Véase en la presente obra, pp 83-84.
8. En la "Semana Trágica" de enero de 1919 hubo ataques a los barrios judíos de Buenos Aires por parte de militantes nacionalistas protegidos por la policía, dejando como saldo un muerto, muchos heridos y una amarga sensación de cólera e impotencia.
9. "El incidente del colegio Mariano Moreno." Véase pp. 79-82.
10. "Una composición", *Vida Nuestra* 2, nº 12, 1919, pp. 288-290. Véase en la presente obra, pp. 80-82.
11. Información obtenida por el Dr. José Niborski.
12. Junto con Alberto Gerchunoff, León Dujovne, Salomón Resnick, Samuel Eichelbaum, Bernardo Verbitsky, Marcos Satanovsky, Mauricio Nirenstein y Gregorio Fingerman. Véase Senkman, *op. cit.*, pp. 450-451.
13. *Vida Nuestra*, 6, nº 8, 1923, pp. 184-188.

14. *Las cámaras del rey,* s/e, 1922, 100 pp.

15. Esta notación (pp. 15-16) indica la página del libro en análisis en que se encuentra el texto de que se trata.

16. Véase Horacio Salas, *El salto a la modernidad* (en *Martín Fierro 1924-1927,* edición facsimilar), Fondo Nacional de las Artes, 1995, pp. VIII-XV.

17. *Martín Fierro* 3, 15 de abril de 1924, pp. 5-8.

18. *Martín Fierro* 7, 25 de julio de 1924, pp. 9-10.

19. José Luis Trenti Rocamora, *Índice general y estudio de la revista Martín Fierro (1924-1927),* p. 51.

20. *Martín Fierro* 3, 15 de abril de 1924, p. 3.

21. José Luis Trenti Rocamora, *op. cit.* p. 51.

22. Ídem, p. 228.

23. *Martín Fierro* 1, febrero de 1924, p. 6.

24. Evar Méndez lo hace en su trabajo *Exposición de la actual poesía argentina,* de Pedro Juan Vignale y César Tiempo. Por su parte Carlos Mastronardi, citado por Bernardo Ezequiel Koremblit, dice que "la contribución lírica de Grünberg está a la altura de las más significativas de la generación martinfierrista".

25. Álvaro Guillot Muñoz, "Carlos M. Grünberg, poeta lúcido", *Judaica* 96, junio 1941, pp. 261-267.

26. En su ensayo "La naturaleza del arte, según Guyau" (de *Dos ensayos filosóficos,* s/e, 1929) desarrolla C.M.G. esta afirmación de Platón, relacionándola con la eternidad de la obra de arte.

27. En este poemario sólo aparecen dos referencias judías explícitas: "...Mucho dolor, dolor inagotable / con el que todavía se entrelaza / otro dolor, temible, inexorable: / el que en herencia me legó mi raza" ("Dolor", p. 69) y este pintoresco cierre de la descripción de una "Tardecita de verano": "...Hasta que me interrumpe con certero / grito un gallo que va por el camino / con su barbado rostro de rabino / y su enérgico andar de mosquetero" (p. 41).

28. Adina Schereschevsky, nacida en Moisesville.

29. Juan Carlos Rébora y Carlos M. Grünberg, *Cinco estudios de derecho sucesorio,* Librería y Editorial "La Facultad", Buenos Aires, 1930, p. 6.

30. "En la Escuela de Comercio N° 5 eran frecuentes interlocutores Jorge Oría, Enrique Díaz de Guijarro y Grünberg. [...] Carlos Grünberg, más encendido, más dispuesto a la polémica, no olvidaba elogiar a Miguel de Toro y Gómez y al Diccionario Larousse, modelo del género" (Ángel Mazzei, en *La llama que aún arde,* Ed. Menlo, 1992, p. 67).

31. *Mundo Israelita*, 22 de junio de 1929.

32. *Mundo Israelita*, 26 de julio de 1930, p. 13, poema incluido luego en *Mester de Judería* como "Infancia".

33. M. Gleizer editor, Buenos Aires, 1930, 150 pp.

34. César Tiempo, "La campaña antisemita y el director de la Biblioteca Nacional", *Mundo Israelita*, Buenos Aires, 1935, 62 pp., referido a Hugo Wast.

35. "Un mártir cristiano del hebraísmo: Juan Reuchlin", *Mundo Israelita*, 7 de noviembre de 1931, p. 5.

36. Leonardo Senkman, *La identidad judía en la literatura argentina*, Pardés, 1983, p. 46.

37. Ídem, p. 47.

38. Con su particular trasliteración de algunas palabras de origen ídish y hebreo, C.M.G. escribe *sabat* por *shabat,* sábado; *salom* por *shalom,* el saludo hebreo que significa paz; *ídiz* para designar la lengua *ídish,* etc.

39. 1916 alude al año del centenario de la Declaración de la independencia argentina. Este poema ya había visto la luz en el primer número de la revista *Judaica,* fechado en julio de 1933, donde se titulaba "Himno".

40. Con la palabra *pogrom* C.M.G. alude al ataque contra el barrio judío porteño que tuvo lugar durante la "Semana Trágica" de enero de 1919. Véase nota 8.

41. Darrell B. Lochart (editor), *Jewish Writers of Latin America, a Dictionary*, Nueva York y Londres, Darland Publishing Inc, 1997, p. 245.

42. Julio Noé, *Historia de la literatura argentina*, tomo IV.

43. Santiago Kovadloff, "La contemporaneidad del judaísmo", *Controversia* 7, Buenos Aires, 1995.

44. *Hebraísmos y criptohebraísmos en el romance peninsular y americano,* separata de *Judaica* 51/53, 1937.

45. "Princesa sábado", *Judaica* 34, abril de 1936, pp. 161-165; *Judá* "Leví", *Judaica* 112/114, 1942.

46. "La cabra", *Davar.*

47. "¿Qué es el judaísmo?", *Heredad* mayo-junio a septiembre-diciembre, 1946.

48. "Italia y los judíos", *Heredad* 9-12, septiembre-diciembre 1946, pp. 179-185.

49. "Bajo el remiendo amarillo", *Heredad* 1-2, enero-febrero 1946, p. 57.

50. Salmos 113 a 118 y 136, *Heredad* 1-2, enero-febrero 1946, pp. 43-53.

51. *Heredad* 1-2, enero-febrero 1946, pp. 55-57.

52. "La creación, Génesis" 1-1 a 2-3, *Heredad* 9-12, septiembre-diciembre 1946, pp. 59-62.

53. *Narración de Pascua*, original hebraico y traducción castellana en prosa y verso, prólogo y notas de C.M.G., Fundación para el Fomento de la Cultura Hebrea, Buenos Aires, 1946.

54. "Emprendí mi traducción de la *Narración* –del himno de libertad más antiguo que se conoce, a la vez himno de libertad de mi estirpe– a mediados de 1943, en circunstancias en que hacía un mes y medio que, en la primera noche de Pascua del 19 de abril de 1943, los 40.000 judíos del ghetto de Varsovia, remanente de 600.000, se habían levantado en armas contra los nazis, resueltos a cobrarles caro sus vidas, como por cierto lo hicieron durante cuarenta y dos días y noches, en el episodio más heroico de la segunda guerra mundial [...]. La suerte ha querido que publicara mi traducción para la primera Pascua posthitleriana" (Ídem, p. XV).

55. Ibídem, p. XIII-XIV.

56. *Heredad* 1-2, enero-febrero 1946, p. 9.

57. *Davar* 104, enero-marzo 1965, pp. 3-5.

58. Según relato telefónico –el 20 de julio de 1998– de Itzhak Navón, en aquel entonces un joven de 26-27 años, segundo secretario de la embajada de Israel en la Argentina y luego presidente de Israel. Durante su estancia en Buenos Aires, Navón entabló amistad con C.M.G., "un hombre encantador pero nada fácil; sabía lo que quería y defendía sus puntos de vista con coraje. Hablábamos mucho de filología y me impresionaba su conocimiento de la literatura y la poesía mundiales".

59. Ignacio Klich y Gladys Jozami, *La integración de los "exóticos". Árabes y judíos en el Servicio Exterior de la Nación (1900-1966)*. Trabajo inédito.

60. Ídem, p. 24, nota 108. Véase en página 48 copia de ese informe policial reservado.

61. De las cartas a su hija Noemí: "Yo espero, para 1965, publicar mi *Nuevo Mester de Judería* con alrededor de 150 poesías, si bien todas breves, no pocas de una sola copla" (4 de agosto de 1964). "Mi libro ya está en imprenta. [...] Le he cambiado el título al libro. Le he puesto *Junto a un Río de Babel*. Esta frase es una paráfrasis del primer versículo del Salmo 137 «Junto a los ríos de

Babel» y viene a significar algo así como junto a los ríos de la Diáspora, del Galut, o sea precisamente mi río porteño, el Río de la Plata. También he aligerado algo el libro suprimiéndole unas 30 poesías cortas (casi todas de una estrofa) y dos pliegos. Así es que ahora tendrá 216 poesías y 17 pliegos (272 páginas). He sacrificado un poco de extensión a fin de ganar en densidad y de mejorar la lógica de la posición ética del libro" (30 de agosto de 1965).

62. "Junto a los ríos de Babel estábamos sentados, llorando al acordarnos de Sión…" (Salmo 137).

63. Véase acerca de este tema en la nota 61 la parte correspondiente del excelente trabajo de Florinda Goldberg, "The complex Roses of Jerusalem: The teme of Israel in Argentinian Jewish Poetry", en *Tradition and Innovation*, Robert DiAntonio y Nora Glickman (editores), Albany, State University of New York Press, 1993, pp. 77-79.

64. Senkman, *op.cit.*, p. 323.

65. *Junto a un Río de Babel* reúne poemas escritos a lo largo de los 25 años que lo separan de *Mester de Judería*. Muchos de sus textos fueron apareciendo en diferentes publicaciones en esos años; por ejemplo, una treintena vio la luz en 1950, dos años después del surgimiento del Estado judío ("Promisión", *Mundo Israelita* 1395, 22 de abril de 1950, p. 2) y otros quince unos años más tarde, (*Davar* 50, 1954, pp. 52-55).

66. Senkman, *op.cit.*, p. 323.

67. Senkman, *op.cit.*, p. 325.

68. "Un diferente y su diferencia", *Davar 108*, 1966, pp. 4-7, texto leído por C.M.G. durante la presentación de *Junto a un Río de Babel* en la Sociedad Argentina de Escritores el 23 de noviembre de 1965. Se reproduce al final de esta obra.

69. De este poema hay dos versiones; una, "A Alberto Gerchunoff", (*Davar* 31/33, 1951, p. 57), y otra, "Gerchunoff", que ve la luz en este *Junto a un Río de Babel*, p. 258. Yo privilegio la frescura de la primera versión y es la que reproduzco en esta página. La segunda versión presenta algunas variantes en las primeras dos estrofas. "Somos, Alberto, la academia hispana / de los nabíes y de los rabíes, / que dobla en sus íberos otrosíes/ la unicidad jerosolimitana, // Somos la cuadratura castellana / del círculo judiego. Sinaíes / enladinados, Toras sefardíes, / salmos y trenos a la toledana." Vale la pena señalar, por la cadencia, que C.M.G. acentúa la primera sílaba de "Tora" (en plural, "Toras" en este caso),

contrariamente a lo que suele hacerse con éste término hebreo, pero siguiendo el criterio del Diccionario de la Real Academia Española.

70. En un ejemplar de *La Nación* de diciembre de 1998 se cuenta de una nueva y revolucionaria teoría del lingüista Noam Chomsky acerca del origen común de todas las lenguas.

71. Al igual que los de C.M.G. y los de Adina, también los restos de la hija mayor de ambos, Elisabet, fallecida en 1970, habían sido incinerados y sus cenizas sembradas en ese río.

Notas de Carlos M. Grünberg

72. Se denomina sabra al judío nacido en la Palestina preestatal y luego, en Israel.

73. R. Menéndez Pidal: *Manual de gramática histórica española*, quinta edición, Madrid, 1934, pp. 1-27.

74. Vicente García de Diego: *Elementos de gramática histórica castellana*, Burgos, 1914, pp. 13-16.

75. José Alemany Bolufer: *Estudio elemental de gramática histórica de la lengua castellana*, sexta edición, Madrid, 1928, pp. 3-4.

76. Juan de Valdés: *Diálogo de la Lengua*, edición Calleja, Madrid, 1919, p. 66.

77. La bastardilla es siempre de García Blanco.

78. García Blanco emplea, al mencionar voces hebraicas, el alefato; yo al transcribirlas empleo, para mayor inteligibilidad, las mayúsculas del abecedario.

79. Antonio M. García Blanco: *Análisis filosófico de la escritura y lengua hebrea*, segunda parte, Madrid, 1848, pp. 75-76.

80. *Op. cit.*, parte citada, pp. 79-80.

81. W. Meyer-Lübke: *Introducción al estudio de la lingüística romance*, p. 179, trad. Américo Castro, Madrid, 1914.

82. Leopoldo de Eguílaz y Yanguas: *Glosario etimológico de las palabras españolas (castellanas, catalanas, gallegas, mallorquinas, portuguesas, valencianas y bascongadas) de origen oriental (árabe, hebreo, malayo, persa y turco)*, Granada, 1886.

83. *Op. cit.*, p. XV.

84. Sobre el origen de esta palabra véase M. L. Wágner, *Os judeos hispano-portugueses e a sua língua no Oriente, na Holanda e na Alemanha*, Coimbra, 1924, p. 8 y sus remisiones; igualmente M. L.

Wágner, "Caracteres generales del judeo-español de Oriente", Madrid, 1930, *Revista de Filología Española*, anejo XII, p. 32 y sus remisiones.

85. Max Leopold Wágner: *Beitrage zur Kenntnis des Judenspanischen von Konstantinopel*, Viena, 1914, col. 170, parágrafo 176; M. L. Wágner, *Caracteres generales del judeo-español de Oriente*, pp. 30-31.

86. *Batata* en el sentido de vergüenza deriva de *abatatado,* y no al revés. Para apreciar hasta qué punto es ridículo considerar *batata* en tal sentido como término primitivo y *abatatado* como derivado de batata, léase esto: "¿Será la palabra (abatatarse) onomatopéyica? El que se turba, ¿no parece que se achica? Achicándose, ¿no logra, hiperbólicamente, la figura de una batata? Que la suposición es atrevida, no se me oculta; pero formulo las preguntas para que conteste quien sepa". (Ricardo Monner Sans, *Notas al castellano en la Argentina*, pp. 61-62, segunda edición, Buenos Aires, 1924.)

87. Biblioteca de Autores Españoles, t. LXII, *Poetas castellanos anteriores al siglo XV*, p. 385, Madrid, 1934.

88. Paul Groussac desahució con su acostumbrada ferocidad la etimología académica de *bruja* y propuso otra más ingeniosa que convincente en *El viaje intelectual*, pp. 357-358, segunda serie, Buenos Aires, 1920.

89. Ricardo Monner Sans dice de *coger:* "Es voz picaña en la República Argentina, sin que acierte a comprender cómo pudo verificarse tan estupendo cambio de significación" (*op. cit.*, p. 128). Y Miguel de Toro-Gisbert recuerda que "el verbo *coger* tan usual en la península se ha visto desterrado de media América" (ello ha ocurrido por la "falsa delicadeza" de que habló Bello), y, refiriéndose a esta palabra y a otras análogas, expresa: "Otro fenómeno bastante interesante es el de la degeneración de algunas voces, cuyo significado se ha transformado en algunos países en sentido bajo o indecente y que una gazmoñería imprudente, como dice el Sr. Pichardo, ha desterrado de la conversación. Interesantísimo sería el estudio de las palabras consideradas generalmente como indecentes... Precisamente son esas palabras las que mayor vitalidad tienen en una lengua, y no siendo posible suprimirlas, preferible es estudiarlas como las demás, investigar su origen y comprobar su mayor o menor difusión [...] De desear sería que no olvidaran los futuros lexicógrafos esta sección tan importante de la semántica americana". (Miguel de Toro-Gisbert, *Americanismos*, pp. 110-113, París, sin fecha.)

90. *Op. cit.,* p. 177.

91. Tobías Garzón: *Diccionario argentino*, p. 427, Barcelona, 1910.
92. Garzón añade: "Probablemente viene este nombre de haber servido en Buenos Aires dichos parajes para vender en ellos gallinas y demás aves domésticas; nombre con que siguieron designándose posteriormente, cuando los mercaderes se trasladaron a otras partes" (lugar citado).
93. Lisandro Segovia: *Diccionario de argentinismos, neologismos y barbarismos*, p. 274, Buenos Aires, 1912.
94. "Biblia Medieval Romanceada", edición de la Facultad de Filosofía y Letras, p. 58, Buenos Aires, 1927.

Notas de Jorge Luis Borges

95. Enumera los siguientes: Pereyra, Ramos, Cueto, Sáenz Valiente, Acevedo, Piñero, Fragueiro, Vidal, Gómez, Pintos, Pacheco, Pereda, Rocha.
96. *Lunario sentimental*, 1909. En las páginas iniciales Lugones rima: *náyade-haya de; orla-por la; petróleo-mole o.* Heine, en alguna estrofa de los *Zeitgedichte,* usa el mismo artificio: *In der Fern'hör ich mit Freude – Wie man voll von deinem Lob ist – Und wie du der Mirabeau bist – Von der Lüneburger Heide.* Browning es casi inagotable en tales invenciones: *monkey-one key; person-her son; paddock-ad hoc; circle-work ill; sky-am I; Balkis-small kiss; pardon-hard on; kitchen-rich in; issue-wish you; Priam-I am; poet-know it; honour-upon her; bishop-wish-shop; Tithon-scythe on; insipid ease-Euripides...* Hay enlaces análogos en el *Hudibras;* en algún soneto satírico de Milton; en el *Don Juan* de Byron. Rafael Cansinos-Asséns, en una de las noches del otoño de 1920, rimó *Buscarini-y ni.*

Notas de Carlos M. Grünberg

97. *En el salón había masas... Te desnudó con mucha ciencia.* "On tient prest dés le matin dans la Synagogue, ou mesme dans la maison, si l'on veut y faire la ceremonie, deux sièges avec des quarreaux de soye. L'un des sièges est pour le Parrain qui tient l'enfant & l'autre est mis là, à ce que disent quelques-uns, pour le Prophete Elie, qu'ils croyent assister invisiblement à toutes les Circoncisions, tant il a aimé à faire observer la Loy. Beaucoup de

gens s'assemblent là… Le Parrain s'assied sur son siege, & ajuste l'enfant sur ser genoux. Puis celui que circoncit, dévelope les langes… Ce matin-là le pere de l'enfant traite le mieux qui'il peut celui qui a circonci, le Parrain et la Marraine, & ses parents & amis" (León de Módena).

98. *Llegó hasta la llave un dedo… pidió al mocoso un… remedo.* Es decir, le habló perifrásticamente. Cumpliendo así uno de los requisitos del caso (véase la segunda estrofa de la p. 188).

99. *Cumplió un nuevo requisito.* El requisito de que el gentil sea alquiladizo (véase la primera estrofa de la p. 188).

100. *Lo puso en antecedentes de su suspensión de pagos…* Es decir, le previno que no podía, durante el sabat, tocar una moneda (véase la sexta estrofa de la p. 187), y que por tanto no lo recompensaría hasta el domingo.

101. *Trunca almenara.* Las almenaras sinagogales tienen, por devoción, un brazo menos que la del Templo.

102. *Como la veste de la morena agreste.* Cantar de los Cantares, IV, 11.

103. *Jehová asignó dos tierras.* Génesis, III, 19 y XII, 7.

104. Esta poesía ("Neojudíos") se escribió en junio de 1943 y se publicó en el nº 121-126 (correspondiente a julio-diciembre de 1943) de la revista *Judaica*.

105. El 12 de agosto de 1948, el Director de la División Latinoamericana de la Cancillería de Israel, D. Moshé A.Tov, me designó Oficial de Enlace del Estado de Israel ante el Gobierno de la Nación Argentina, y posteriormente, el 28 de febrero de 1949, el Canciller de Israel, D. Moshé Sharet, me designó Representante Especial del Estado de Israel ante el Gobierno de la Nación Argentina.

106. El 14 de febrero de 1949, y de resultas de mis gestiones anteriores, realizadas como Oficial de Enlace, el Poder Ejecutivo Nacional dictó, en acuerdo general de ministros, el decreto nº 3.668, cuyo artículo 1º dice: "Reconócese al Estado de Israel como Estado soberano". El trámite de este decreto fue laborioso y difícil. La República Argentina, que el 29 de noviembre de 1947, cuando la Asamblea General de las Naciones Unidas adoptó la Resolución sobre el Futuro Gobierno de Palestina, se había abstenido de votar, se demoró largamente en reconocer a Israel.

107. El 17 de febrero de 1949 presidí, como Oficial de Enlace, una ceremonia pública celebratoria del reconocimiento argentino del Estado de Israel, que tuvo lugar en la sede de la Oficialía de Enlace, situada en la calle Larrea nº 744, y en cuyo transcurso enar-

bolé, junto a la bandera argentina, la bandera israelí. El discurso que leí entonces y que precedió inmediatamente al izamiento de ambas banderas terminaba así:

"Tales son, a raíz del reconocimiento argentino de Israel, el pensar y el sentir de gobierno y pueblo israelíes, cuya representación invisto, como Oficial de Enlace de Israel ante el Gobierno de la Nación Argentina. Tales son el pensar y el sentir de todos los judíos. Tales son los de todos los hombres libres. Tales son, de especial manera, los de todos los argentinos, judíos y no judíos, cuya representación no me sería lícito invocar, pero cuyo pensar y sentir me es lícito interpretar, tanto más cuanto que yo, como judío argentino, soy uno de ellos. Y en este último carácter, en el de judío argentino, séame dado insistir en lo que ya he dicho en otra ocasión. Israel será la patria de los judíos apátridas, de los judíos desdichados, hijos de patrias madrastras, y la madre patria de los judíos eupátridas, de los judíos dichosos, hijos de patrias maternales, como la patria argentina. Será la patria de los israelíes y la madre patria, entre otros, de los judíos argentinos, de los argentinos de estirpe judía. Y la Argentina será la patria de los argentinos de todas las estirpes. Y la Argentina e Israel se ayudarán la una al otro, para que la una y el otro sean, por añadidura, madres patrias de la humanidad. Y tales son el pensar y el sentir que vamos a simbolizar ejecutando solemnemente y con emoción entrañable, por primera vez en la historia, el acto de enarbolar, ante la sede de la representación de Israel en la Argentina, los colores azul y blanco de la bandera de Israel.

"¡Viva la República Argentina! ¡Viva el Estado de Israel!"

108. El 31 de mayo de 1949, y de resultas de mis gestiones anteriores, realizadas como Representante Especial, el Ministro de Relaciones Exteriores de la República Argentina, doctor Juan Atilio Bramuglia, por una parte, y yo, por otra parte, establecimos, suscribiendo y canjeando, en el Salón Dorado de la Cancillería, las pertinentes cartas reversales, las relaciones diplomáticas y consulares entre la República Argentina y el Estado de Israel.

Cronología

1903. El 29 de agosto nace, en Buenos Aires, Carlos Moisés Grünberg. Su padre, Mardoqueo (Manuel) Grünberg, había nacido en Jafa, Palestina, el 25 de noviembre de 1875, y emigró a la Argentina en febrero de 1898. El 5 de noviembre de 1902 contrae enlace en Buenos Aires con Judit (Julia) Krauthamer, nacida en Kolomea, Galitsia, el 25 de diciembre de 1877.

Manuel Grünberg aprendió en su ciudad natal el oficio de relojero; en 1894 instala en Jerusalén un taller de compostura de relojes, luego emigra a Túnez, de allí a Marsella y finalmente a Buenos Aires, donde tiene una relojería en una casa de la calle Entre Ríos 275, en cuyo fondo vive su familia.

1913. A los nueve años C.M.G. acompaña a su padre a Alejandría, Egipto, a visitar a su abuela, Lea Levin de Grünberg, que hacía un año había enviudado de Wolff Alter Grünberg. En ese viaje, amén de Egipto, van a Palestina, Italia, Austria, Suiza y Galitsia.

1919. C.M.G. es expulsado de la escuela Mariano Moreno, víctima de una provocación ultranacionalista. Pasa al Bernardino Rivadavia donde tiene por compañero a Israel Zeitlin (luego César Tiempo).

Aparece en *Vida Nuestra* de junio "Una composición", su primer texto publicado; tiene 15 años.

1922. Publica *Las cámaras del rey*, su primer poemario.

Ingresa en la logia "Unión Justa".

1923. Fundador de la Asociación Hebraica con Gerchunoff, Dujovne, Resnick, Nirenstein, Fingerman, Eichelbaum, Verbitsky y Marcos Satanovsky.

1924. Con el poema "El reloj de cuclillo" comienza su colaboración con la revista *Martín Fierro*.

Publica *El libro del tiempo*.

1926. Finaliza el profesorado en Filosofía y Letras, Instituto de Filología.
Es, con León Dujovne, uno de los fundadores de la Sociedad
Hebraica Argentina.

1928. Contrae enlace, el 6 de septiembre, con Adina Schereschevsky, nacida en Moisesville, provincia de Santa Fe. Viven en el segundo piso de la avenida Entre Ríos 275, en cuya planta baja está la relojería de su padre.

1929. El 9 de noviembre nace Elisabet (Betty), su primogénita.
Publica *Dos ensayos filosóficos*.

1930. Termina sus estudios de derecho y se recibe de abogado.
Publica *Cinco estudios de derecho sucesorio* (en colaboración con Juan Carlos Rébora).

1933. El 23 de noviembre nacen sus hijos mellizos Noemí y Daniel.

1934. Profesor de Gramática española y de Historia de la Literatura española, hispanoamericana y argentina, en algunas escuelas secundarias, hasta 1945.

1937. Separata de *Judaica: Hebraísmos y criptohebraísmos en el romance peninsular y americano*.

1938. El 18 de julio fallece su madre, Julia Krauthamer de Grünberg.

1940. Publica *Mester de Judería* con prólogo de Jorge Luis Borges.

1941. El 31 de diciembre fallece su padre, Manuel Grünberg.

1942. Publica su traducción de *Judá Leví* de Enrique Heine.

1946. Aparece la revista *Heredad* bajo su dirección; número 1/2 en enero-febrero, hasta 15/16 en marzo-abril de 1947.
Aparece su traducción de *La Narración de la Pascua*.

1947. En Nueva York desde octubre de 1947 a enero de 1948 en Lake Succes, con Moshé Tov sobre la Resolución de las Naciones Unidas sobre la partición de Palestina.

1948. En abril de nuevo en Nueva York; en agosto es nombrado Oficial de Enlace del Estado de Israel con la Argentina.
Aparece *Texto y codificación de la Resolución de la Asamblea General de las Naciones Unidas sobre el futuro Gobierno de Palestina*.

1949. Es designado por el canciller de Israel, Moshé Sharet, "Representante especial" del Estado de Israel ante el gobierno argentino. Como Oficial de Enlace interviene en el reconocimiento argentino de Israel que se produce el 14 de febrero de ese año y el 17 de febrero iza por primera vez la bandera de Israel en Buenos Aires.

1950. Publica *Análisis comparativo de la nueva constitución argentina*.

1960. Pasa de la logia "Unión Justa" a la logia "Prometeo".

1965. Publica *Junto a un Río de Babel*, presentado en la SADE de la calle México el día 23 de noviembre.

1966. El 13 de junio recibe la Faja de Honor de la SADE por *Junto a un Río de Babel*.

1968. Fallece en Buenos Aires el 25 de julio. Sus restos son incinerados y sus cenizas arrojadas al Río de la Plata, despedidas por Lázaro Liacho.

Homenaje en Hebraica el 14 de septiembre, en el que participan Borges, Koremblit, Rosa Rosen y otros.

1972. Homenaje en la Bené Berith el 19 de abril; intervienen Borges, Koremblit, Isabelino Scornik, Samuel Daien y Rosa Rosen.

1994. Adina Schereschevsky, viuda de C.M.G., fallece el 9 de noviembre; sus restos son incinerados, y sus cenizas arrojadas al Río de la Plata.

Fotografías

Carlos M. Grünberg niño.

Carlos M. Grünberg con su madre Julia Krauthamer.

Manuel (Mardoqueo) Grünberg,
padre de Carlos M. Grünberg,
en su taller de relojero.

Carlos M. Grünberg de visita en Egipto en 1912 (a la edad de nueve años), país al que
viajó con su padre, Manuel Grünberg. En ese viaje conoció a su abuela, tíos y primos
radicados en Alejandría (Egipto) y en Jerusalén (entonces Palestina).

Colegio Nacional Mariano Moreno del que Carlos M. Grünberg fue expulsado arbitrariamente en 1919.

Carlos M. Grünberg con un amigo.

Carlos M. Grünberg y Adina
Schereschevsky, *circa* 1940.

Los tres hijos de Carlos y
Adina Grünberg:
Elisabet, Daniel y Noemí.

C. M. Grünberg, Adina
Grünberg y sus nietos
Claude y Andrea 1965

Elisabet, Daniel y Noemí
Grünberg, con su padre.

Carlos M. Grünberg y Adina Schereschevsky con su hija Elisabet, *circa* 1940.

Carlos M. Grünberg.

De izq. a der.: Carlos M. Grünberg, Noemí Grünberg de Eisen, Adina Schereschevsky de Grünberg y Edmundo Eisen, 1964.

CMG en su escritorio, con sus nietos Claude y Andrea Eisen, de visita en Buenos Aires.

Adina (sentada) con su hija Noemí Grünberg de Eisen *(der.)* y Angélica Franco. *Circa* 1990.

Noemí Grünberg de Eisen (izq.), Angélica Franco y Gabriela.

Carlos M. Grünberg según el dibujante Cristiani. Dibujo aparecido en la revista *Martín Fierro* del 27 de julio de 1924.

Carlos M. Grünberg, 1940.

De izq. a der.: Bernardo Ezequiel Koremblit, Carlos M. Grünberg y
Ulyses Petit de Murat.

Reunión de escritores en la Hebraica, *circa* 1965. *De izq. a der.:* César Tiempo,
Carlos M. Grünberg, Bernardo E. Koremblit y Samuel Eichelbaum.

Carlos M. Grünberg haciendo uso de la palabra en un acto público.

Carlos M. Grünberg y Moshé A. Tov.

CMG en New York (USA) en 1947 para participar en las segundas sesiones ordinarias de la Asamblea General de las Naciones Unidas, de las cuales saldría el llamado "Plan de Partición de Palestina". CMG colaboró allí como abogado judío latinoamericano, a las órdenes del Dr. Jacob Robinson, desde comienzos de octubre de 1947 a fines de enero de 1948.

En el balcón de la casa de la Agencia Judía es izada por primera vez en Buenos Aires la bandera israelí el 17 de febrero de 1949, con la participación del Dr. Carlos M. Grünberg, oficial de enlace del Estado de Israel ante el gobierno argentino.

El 31 de mayo de 1949, de resultas de las gestiones realizadas por el Dr. Carlos M. Grünberg como Representante Especial del Estado de Israel, el Ministro de Relaciones Exteriores de la República Argentina, Dr. Juan Atilio Bramuglia, y el mismo CMG, suscriben y canjean en el Salón Dorado de la Cancillería argentina las cartas reversales que establecen las relaciones diplomáticas y consulares entre la República Argentina e Israel. En la foto se ve al Dr. Carlos M. Grünberg firmando el acta ante el subsecretario de la cancillería, Dr. Pascual La Rosa *(der.)* y el ministro plenipotenciario de la Argentina en Israel, Dr. Pablo Manguel *(izq.)*

CMG, en su calidad de representante del Estado de Israel ante el gobierno argentino, rinde homenaje al general San Martín en la plaza que lleva su nombre.

Bibliografía

Datos tomados, en su mayor parte, de la obra *Escritores judeo-argentinos.*
Bibliografía 1900-1987 de Ana E. Weinstein y Miryam E. Gover de Nasatsky, Buenos Aires, Milá, 1994. Revisado para esta edición por Ana E.
Weinstein. Donde no se indica lugar de edición, la misma fue en Buenos Aires.

LIBROS DE POEMAS

Las cámaras del rey, s/e, 1922, 100 pp.
El libro del tiempo, M. Gleizer Editor, 1924, 110 pp.
Mester de Judería, Editorial Argirópolis, 1940, 156 pp. Prólogo de Jorge
    Luis Borges.
Junto a un Río de Babel, Acervo Cultural Editores, 1965, 266 pp. Xilo-
    grafías de Víctor Marchese.

OPÚSCULOS

Dos ensayos filosóficos, s/e, 1929, 109 pp.
Hebraísmos y Criptohebraísmos en el romance peninsular y americano, Ju-
    daica, 1937, 19 pp (separata de *Judaica*, año V, números 51-53).

Narrativa

"Cuentos judíos: Un esposo - Padre", *Vida Nuestra* 6:8, 1923, pp. 184-188; *Mundo Israelita* 84, 10/1/1925, p. 5.

Poesía

"Tierna expansión", *Vida Nuestra* 4:1, 1920, p. 13.

"Glosa de glosador", *Babel* 9, 1921, p. 124.

"Agua nocturna", *Vida Nuestra* 6:10, 1923, p. 239.

"Fugacidad", *Vida Nuestra* 6:12, 1923, p. 286.

"Sabiduría", *Vida Nuestra* 7:2, 1923, p. 37.

"Imprecación", *Vida Nuestra* 7:3, 1923, p. 63.

"El reloj de cuclillo", *Martín Fierro* 2, 1924, s/p.

"El cuadrante solar - Tardecita de verano - Plátanos invernales - Sabiduría - Oración", *Martín Fierro* 6, 1924, s/p.

"Oración", *Mundo Israelita* 51/52, 31/5/1924, p. 4.

"Noche de lluvia", *Mundo Israelita* 85, 17/1/1925, p. 3.

"Amigas de la infancia", *Mundo Israelita* 131, 5/12/1925, p. 5.

"El reloj de cuclillo - Cancioncilla - Aurora en la pampa", en *Antología de la poesía argentina moderna (1900-1925)*, Ed. Nosotros, 1926, pp. 519-522.

"Canto de Heine a Iehuda Ben Halevy", 1927, pp. 127-155.

"Romance de los besos ilegales", *Mundo Israelita* 315, 22/6/1929, p. 6.

"Rabí Josué", *Mundo Israelita* 372, 26/7/1930, p. 13.

"Dolor", *La Luz* 1, 1931, p. 12.

"El teniente coronel D. Juan Bautista Molina", *Mundo Israelita* 458, 19/3/1932.

"Himno", *Judaica* 1, 1933, pp. 12-14.

"Marranos", *Judaica* 4, 1933, pp. 153-154.

"Cinco décimas y un soneto: Orfanatorio - Hospital - Hospicio - Símbolo - Catolicismo - Fracaso", *Judaica* 7, 1934, pp. 12-13.

"Sinagoga", *Judaica* 14, 1934, pp. 53-60.

"Versos judíos", *Nosotros* 2º, 16, 1937, pp. 275-280.

"Tres poemas: Patria - Terruño - Civismo", *Judaica* 56, 1938, pp. 53-54

"Vocación", *Judaica* 59/61, 1938, p. 202-204.

"Hintler", *Judaica* 68/69, 1939, pp. 73-74.

"El cuadrante solar - Apellidos - Circuncisión", en *Antología poética argentina* (comp. J. L. Borges, S. Ocampo y A. Bioy Casares), Sudamericana, 1941, pp. 154-157.

"Huérfano - Entierro - Apellidos - Insulto - Judezno - Fantasía", en *Poetas sociales de la Argentina (1810-1943)* (comp. Álvaro Yunque), Ed. Problemas, 1943, II: pp. 119-122.

"Versos: Verbum - Rabirrale - Rosa - Voces - Vidas - Matar hombres - Asco - Neojudíos", *Judaica* 121/126, 1943, pp. 13-17.

"Dos poemas del ritual pascual: ¡Oh, cuántas mercedes! - Uno, ¿quién lo sabe?", *Judaica* 128/129, 1944, pp. 72-78.

"Apellidos - Judezno", en *La moderna poesía lírica rioplatense desde Lugones y Herrera y Reissig hasta nuestros días* (comp. Álvaro Yunque y Humberto Zarrilli), Ed. Futuro, 1944, pp. 173-174.

"Uno", *Davar* 1, 1945, p. 68.

"Resnick", *Judaica* 156, 1947, pp. 10-11; *Judaica* 167/168, 1947, pp. 171-172.

"Promisión (32 poemas breves)", *Mundo Israelita* 1395, 22/4/50, p. 2.

"A Alberto Gerchunoff", *Davar* 31/33, 1951, p. 57; *Davar* 127, 1976, pp. 150-151.

"Poética: Paternidad - Esencia - Deber - Indignidad - Fama - Idiomas - Gentilismos - Danalde - Remanentes - Rimas - Copla - Etapas - Grito - Refugios", *Davar* 50, 1954, pp. 52-55.

"Cuatro poemas: Bombas - Soledades - Paralelo - Nomadismo", *Davar* 75, 1958, pp. 28-29.

"Sabiduría", en *Los martinfierristas* (comp. Eduardo González Lanuza), E. C. A., Ministerio de Educación y Justicia, 1961, p. 52; en *Los poetas de Florida* (comp. Guillermo Ara), CEAL, 1968, p. 73; en *Antología poética I* (comp. Oscar A. Ligaluppi), La Plata, Fondo Editorial Bonaerense, 1981, p. 144.

"El cuadrante solar", en *La revolución martinfierrista* (comp. Cayetano Córdova Iturburu), E. C. A., 1962, p. 59.

"Versos: Axiología - Posibilismo - Espera - Extranjero - Reir", *Davar* 96, 1963, pp. 59-61.

"Dos poemas: Tozudez - Desplazado", *Davar* 100, 1964, pp. 82-83.

"Circuncisión - Judezno - Insulto", en *Cuarenta años de poesía argentina 1920-1960* (comp. José Isaacson y Carlos Urquía), Aldaba, 1964, pp. 1.246-1.250.

"Diplomacia", *Davar* 104, 1965, pp. 3-6.

"Linaje", *Davar* 113, 1967, p. 3.

"Huérfano - Semántica - Conflagración", *Los poetas sociales* (comp. C. S. Giordano), CEAL, 1968, pp. 22-23.

"Insulto", *Quatro mil anos de poesía* (comp. J. Guinsburg y Zulmira Ribeiro Tavares; trad, portuguesa, Renata Pallotini), Editora Perspectiva, São Paulo, 1969, p. 225.

"La muerta", en *Las cien mejores poesías líricas argentinas,* Huemul, 1971, pp. 229-230.

"Circuncisión", en *Los mejores poemas de la poesía argentina* (comp. Juan C. Martini Real), Corregidor, 1974 pp. 168-170; en *La mejor poesía,* (comp. Héctor Yánover), Ed. Abril, 1985, pp. 136-137.

"Poemas: Pequeñeces - Soledad - Premio - Fracaso - Gerchunoff - Destinos - Iris", *Davar* 127, 1976, pp. 150-151.

"A Alberto Gerchunoff - Circuncisión", en *Panorama de la poesía judía contemporánea,* (comp. Eliahu Toker), Raíces-Milá, 1989, pp. 136-137.

Ensayo

"Una composición", *Vida Nuestra* 2:12, 1919, pp. 288-290.

"El poema de la lluvia, por Horacio Rega Molina", *Vida Nuestra* 6:4, 1922, p. 93.

"Saúl Tchernijowsky", *Vida Nuestra* 7:1, 1923, pp. 11-12.

"Del libre albedrío, por Arturo Capdevila", *Vida Nuestra* 6:9, 1923, pp. 222-223.

"Un gramático", *Martín Fierro* 3, 1924, s/p.

"Un mártir cristiano del hebraísmo: Juan Reuchlin", *Mundo Israelita* 489 y 490, 7/11/1931 y 14/11/1931, pp. 6 y 5-6.

"Leopardi, de Oreste Ciattino", *Judaica* 48, 1937, pp. 248-249.

"Hebraísmos y cripto-hebraísmos en el romance peninsular y americano", *Judaica* 51/3, 1937, pp. 99-135.

"Salomón Resnick", *Heredad* 7/8, 1946, pp. 99-100.

"El nombre sagrado, de Lysandro Z. D. Galtier", *Testigo* 4, 1966, pp. 115-116.

Aforismos

"De mi harnero", *Vida Nuestra* 6:3, 1922, pp. 59-61.

"Ingruencias", *Martín Fierro* 10/11, 1924, s/p.

Discursos, conferencias o ponencias publicadas

"Salomón Resnick", *Judaica* 167/68, 1948, pp. 161-173.

"El fallecimiento de Gerchunoff y el homenaje de la Sociedad Hebraica Argentina", *Davar* 26, 1950, pp. 105-114.

"Un diferente y su diferencia", *Davar* 108, 1966, pp. 4-7.

Traducciones

"Judá Leví", de Enrique Heine, *Judaica,* 1942, 14 pp.

Narración de la Pascua, traducción castellana en prosa y verso, Editorial Fundación para el Fomento de la Cultura Hebrea, 1946, 184 pp. Prólogo y notas de Carlos M. Grünberg; ilustraciones de Manuel Kantor y otros.

Obra jurídica

Cinco estudios de derecho sucesorio (en colaboración con el Dr. Juan Carlos Rébora), Librería y Editorial "La Facultad", 1930, 216 pp.

Texto y codificación de la Resolución de la Asamblea General de las Naciones Unidas sobre el futuro Gobierno de Palestina, Nueva York, The Jewish Agency for Palestine, 1948, 135 pp.

Análisis comparativo de la nueva Constitución Argentina, 1950, 133 pp.

Principal bibliografía consultada

GHIANO, Juan Carlos: *Poesía argentina del siglo XX*, México, Fondo de Cultura Económica, 1957, pp. 171 y 190.

GOLDBERG, Florinda: "The Complex Roses of Jerusalem: The Teme of Israel in Argentinian Jewish Poetry", *Tradition and Innovation: Reflections on Latin American Jewish Writing, Ed. Robert DiAntonio y Nora Glickman*, Albany, State University of New York Press, 1993, pp. 77-79.

LINDSTROM, Naomi: *Jewish Issues in Argentine Literature*, Columbia, University of Missouri Press, 1989, pp. 20-21.

—"Zionist thought and songs of Zion: Two jewish argentine poets". *Judaica Latinoamericana: Estudios histórico-sociales II*, Asociación Israelí de Investigadores del Judaísmo Latinoamericano, Jerusalén, Editorial Universitaria Magnes, Universidad Hebrea, 1993, pp. 275-287.

LOCKHART, Darrell B. (editor): *Jewish Writers of Latin America, a Dictionary*, Nueva York y Londres, Darland Publishing Inc, 1997, pp. 243-247.

NOÉ, Julio: "La poesía", en *Historia de la Literatura Argentina*, tomo 4, ed. Rafael Alberto Arrieta, Peuser, 1959, pp. 122-124.

SALAS, Horacio: "El salto a la modernidad", en *Revista Martín Fierro 1924-1927, Edición Facsimilar*, Fondo Nacional de las Artes, 1995, pp. VIII-XV.

SENKMAN, Beatriz y Ana E. Weinstein: *Bibliografía temática sobre judaísmo argentino: Revistas Judeo Argentinas*, Centro de Documentación e Información Sobre Judaísmo Argentino Marc Turkow, AMIA, 1984, 234 pp.

SENKMAN, Leonardo: *La identidad judía en la literatura argentina*, Pardés, 1983, pp. 46-48 y 323-327.

TOKER, Eliahu: *Alberto Gerchunoff: Entre gauchos y judíos*. Secretaría de Cultura de la Nación/Editorial Biblos, 1994, 144 pp.

—*Buenos Aires esquina Sábado*, antología de César Tiempo, Archivo General de la Nación, 1997, 320 pp.

Tov, Moshé A: *El murmullo de Israel*, Jerusalén, La Semana, 1983, pp. 77-102.

TRENTI ROCAMORA, José Luis: *Índice general y estudio de la revista "Martín Fierro" (1924-1927)*, Sociedad de Estudios Bibliográficos Argentinos, Serie "Estudios" N° 1, Buenos Aires, 1996, 252 pp.

WEINSTEIN, Ana E. y Miryam E. Gover de Nasatsky: *Escritores judeo-argentinos. Bibliografía 1900-1987*, Editorial Milá, 1994, tomo I., pp. 295-301.

WEISBROT, Robert.: *The Jews of Argentina, from the Inquisition to Perón*, The Jewish Publication Society of America, Philadelphia, 1979, pp. 109 y 186-187.

Índice

9 **Introducción**
11 Un diferente y su diferencia
15 El primer Grünberg
26 *Mester de Judería*

43 **Acerca de Carlos M. Grünberg**
45 El incidente del colegio Mariano Moreno
51 Carlos M. Grünberg en el recuerdo de su hija Noemí, de su nieta Gabriela y de su empleada Angélica Franco
69 El mejor y el mayor de todos nosotros, *por César Tiempo*
73 Carlos M. Grünberg, *por Jorge Luis Borges*

77 **Prosa de Carlos M. Grünberg**
79 Una composición
83 Carta a Miriam Teper Reinharz
95 Mi padre
105 Hebraísmos y criptohebraísmos en el romance peninsular y americano

121 **Poesía de Carlos M. Grünberg**
123 *Las cámaras del rey*
    125 YO
    125 PORQUE
    126 PALABRAS

127 TRISTEZA

128 LA PESADILLA

129 LA FUENTE

130 NIRVANA

131 EL CANTO DE LAS CALLES

137 LA OJEROSA

138 COQUETA

140 AMOR NIÑO

140 FATALIDAD

141 I OCASO MARINO

141 II OCASO CAMPESINO

142 III OCASO EN LA CIUDAD

142 IV OCASO EN LA ESTANCIA

143 V NOCHE MARINA

143 VI NOCHE CAMPESINA

144 VII NOCHE EN LA CIUDAD

144 VIII NOCHE EN LA ESTANCIA

144 IX ALBA MARINA

145 X ALBA CAMPESINA

147 *El libro del tiempo*

151 INTRODUCCIÓN

152 A UNA AMPOLLETA

153 EL RELOJ DE CUCLILLO

154 NOCHE DE LLUVIA

155 TARDECITA DE VERANO

156 PLÁTANOS INVERNALES

157 IMPRECACIÓN

158 SABIDURÍA

159 ORACIÓN

160 LA VIDA RETIRADA

162 DOLOR

163 LA ESFERA

164 CANTOS FUTUROS

166 FILIAL

167 LA MUERTA

171 *Mester de Judería*

175 Prólogo, por Jorge Luis Borges

181 CIRCUNCISIÓN

183 INFANCIA
192 **1916**
195 SABAT
209 APELLIDOS
210 INSULTO
210 PARIA
213 JUDEZNO
214 ORGULLO
215 SINAGOGA
224 NIGRICIA
225 TEOLOGÍA
226 PATRIA
227 SION
228 GIMNASIO
231 JUDAÍSMO
232 JUDEIDAD
233 ANTROPOLOGÍA
234 MENÚ
234 MESTIZO
236 CRISTOS
237 AMIGOS
237 POBREZA
238 COMPENSACIÓN
238 DESLINDE
239 CEMENTERIO

243 *Junto a un Río de Babel*
245 AXIOLOGÍA
245 REPARTO
246 PARALELO
247 MATAR
247 PREJUICIOS
247 BARBA
248 SENSIBLES
248 COSMOLOGÍA
248 PETRÓLEO
248 NEOJUDÍOS
249 MUÑECA
250 TEOLOGÍA
250 RELIGIÓN

250 SIONISMO

250 VOTACIÓN

252 DECEPCIÓN

252 SAÑA

253 RELIQUIAS

253 INDEMNIDAD

254 EMANCIPACIÓN

254 ECLECTICISMO

254 REALIDAD

254 RECUPERACIÓN

255 ÁRBOL

255 EFETÁ

256 AUTOGOBIERNO

256 INDECENCIA

256 ESTADO

257 DIPLOMACIA

259 DIÁSPORAS

260 TURISTAS

260 VOLVER

261 ESPERA

262 DESPLAZADO

262 EXTRANJERO

263 DESCLASADO

263 SUB

263 INCERTIDUMBRE

264 HOMOGENEIDAD

264 NOMADISMO

264 CONSUELO

265 UNO

265 SOLEDADES

266 DESOLACIÓN

266 LEALTADES

268 MONSTRUO

269 HERENCIAS

269 ULTRATUMBA

270 TESTAMENTO

271 CODICILO

272 INMORTALIDAD

272 INVENTARIO

273 ARTE

273 IDIOMAS

274 LENGUA

274 POETAS

275 PLUMAS

275 REMANENTES

276 INSUFICIENCIA

276 ETAPAS

276 PEQUEÑECES

276 PREMIO

277 GERCHUNOFF

278 ESTÉTICA

279 Traducciones de Carlos M. Grünberg
   281 UN POEMA DE H. LÉIVIK
   282 POEMAS DE UMBERTO SABA

289 Epílogo
291 Un diferente y su diferencia

295 Glosario

301 Notas

311 Cronología

315 Bibliografía

323 Principal bibliografía consultada